KB103365

무수한 시간 속 어느 점에서

무수한 시간 속 어느 점에서

앤솔로지 작품집

글로서기

내가 쓰지 않으면 사건들은 그 끝을 보지 못한다.
그저 일어난 일일 뿐.
『젊은 남자』 중 서문에서 – 아니 에르노

한때는 글의 힘이 세상을 바꿀 수도 있을 것처럼 치열하게 산 적
도 있었나 본데 이제 와 생각하니 겨우 문틈으로 엿본 한정된 세
상을 증언할 뿐이라는 걸 알겠다.
『부끄러움을 가르칩니다』 중 제2판 작자의 말 중에서 – 박완서

　그저 머릿속에서 둥둥 떠다니던 조각들을 정리하고 싶었다. 출
구를 찾지 못해 뜬눈으로 밤을 지샌 적이 많았다. 그러던 중 우연

히 만난 글로서기는 억눌려있던 글쓰기의 욕망을 맘껏 분출시켰던 해방구였다. 글로 홀로서기 하고 싶은 간절한 열망이 말문을 터트렸고 그 이후에는 마음이 이끄는 대로 뻔뻔하게 글을 마감했다.

3기 일요반 수업 첫날, 우리 모두 가면 뒤로 자신을 꽁꽁 숨겼지만 강의가 진행되어 갈수록 방현희 작가님의 예리한 시선을 방어하지 못하고 점차 무장 해제되어 가는 자신을 바라보는 독특한 경험을 하게 되었다. 결국 자신의 거북스러운 민낯을 들여다볼 수밖에 없었고 서서히 자신을 낯선 타자로 바라보게 되면서 한 편의 단편소설이 만들어졌다. 이제껏 억눌려 있던 꿈과 욕망이 서서히 실체를 드러내며 소설 속 주인공이 살아 움직이는 경험은 상처를 치유하고 억눌린 욕망을 자유롭게 풀어주는 역동적인 작업이었다.

소설 쓰기는 일종의 치유 과정이기도 했다. 살아오면서 오랜 시간 동안 풀지 못해 미진함으로 남아있던 의문들을 글로 붙잡고 늘어졌더니 시간이 거듭될수록 조금은 답을 찾은 것도 같았다. 여전히 삶의 많은 맥락이 공백으로 남아있지만, 그때의 이야기를 다시 곱씹어보는 것만으로도 당시 인간관계의 미묘한 긴장이 흘렀고 그때는 차마 해줄 수 없었던 이야기들을 상상의 인물을 통해서나마 할 수 있었다. 기억 속에서 갇혀 있을 사람들의 현재 모습을 상상하는 것은 소설 쓰기의 또 다른 묘미이자 즐거움이 되었다.

개인의 억눌린 욕망을 풀어내기도 했고, 가족과 친구 관계에서 오는 복잡한 갈등의 이유를 찾아보려 했고, 분단된 국가를 살아가는 가족들의 비애를 보듬어주기도 했다. 또 사회생활에서 잃어버린 자신의 본질을 찾아 헤매기도 했다. 우리들의 글쓰기는 결국 각자의 시선으로 내다본 창밖의 풍경을 드러낸 행위였으며 다양한 색깔의 욕망을 자유롭게 풀어주고 글로 완성하는 여정이었다.

이제 욕망을 숨 쉬게 해주었으니 첫발을 떼고 제대로 소설 공부할 용기가 생긴 셈이다. 해방의 맛을 조금이라도 보았으니 계속 길을 갈 수밖에 없다. 소설을 쓰기 시작한 우리는 이전보다 더 촉각을 세우고 예리하게 관찰하고 사유하고 고민하게 될 것이다. 각자의 시선으로 '세상 읽기'를 글로 풀어내면서 자신만의 프레임으로 세상을 보여주고 풍성하고 다양한 사유의 생태계를 만들어 가는데 힘을 보태길.

글로서기와의 만남은 막막한 사막에서 한 모금의 물처럼 갈증으로 타들어가는 목을 축여주기에 충분했다. 조급한 욕망을 편안하게 풀어내도록 자신과 마주할 용기를 따뜻하게 북돋아 주신 방현희 작가님께 진심 어린 감사의 마음을 전하고 싶다.

8주 책쓰기 3기 일요반
김한솔, 김혜정, 김희진, 오지유, 이시현, 최인혜, Tom鄭

차례

올파워 프로텍터 신발용 방수 스프레이

김한솔

소설

김한솔

평일에는 한 사람도 사랑하기 버거운 직장인. 초여름의 연두색 잎들과 수영장 냄새를 좋아한다.

올파워 프로텍터 신발용 방수 스프레이

개방된 공간(실외)에서 스프레이를 분사하고 신발은 환기가 잘 되는 곳에 보관하시오.

환풍이 잘 되는 곳에서 화기나 인화물질을 피해 사용하시오.

일정량을 분사한 뒤에는 가스가 흩어지는 시간을 기다린 후 다시 사용하시오.

피부가 민감하거나 손상된 사람은 제품에 장기간 노출되지 않도록 주의하시오.

1. 지연의 방

지연은 휘발유 냄새에 눈을 떴다. 닫아놓은 방문 사이로 하얗게 빛이 새어 들어왔다. 문을 열고 밖으로 나가자 혜선이 신발장 앞에

서서 신발에 스프레이를 뿌리고 있었다. 요즘 인스타그램에서 많이 광고하는 눈이나 비에 신발이 젖지 않게 해주는 방수 스프레이였다. 지연의 방문과 신발장 사이는 두세 걸음 밖에 떨어져 있지 않았다. 지연은 자신의 방에서 나가지 않고 문지방에 서서 혜선에게 말했다.

-그거 실내에서 뿌려도 되는 거야?

혜선은 갑자기 들린 인기척에 화들짝 놀라며 들고 있던 스프레이 통을 돌려 주의사항을 찾았다.

-한번 읽어 볼게.

지연은 거실로 나와 닫혀있던 창문을 활짝 열고 페인트 냄새로 가득한 거실을 지나 다시 방으로 들어갔다. 오래된 구축 빌라의 방문은 틀 자체가 뒤틀려 문이 완전히 잠기지 않았다. 지연은 몸으로 문을 눌러 닫고 방 안의 창문을 열었다. 십이월의 차가운 새벽 공기에도 스프레이 냄새는 쉽게 지워지지 않았다. 핸드폰으로 시간을 확인하니 새벽 두 시였다. 네 시간 뒤에는 출근 준비를 하기 위해 일어나야 한다. 깊게 잠이 들어 깨어나지 못했다면 질식할 수도 있었을까. 핸드폰으로 신발 방수 스프레이의 유독성에 대해 찾아보던 지연은 핸드폰을 쥔 채 다시 잠이 들었다.

회사에 출근한 지연은 혜선의 연락을 기다렸다. 신발 방수 스프레이를 실내에서 창문을 닫은 채 사용하면 위험하니 앞으로는 꼭 밖에서 뿌리겠다는 다짐이나, 새벽에 깨워서 미안하다는 사과의 말을 기다렸다. 저녁이 될 때까지 혜선에게선 아무런 연락이 없었다. 지연은 방수 스프레이의 유독성과 부작용에 관한 기사를 캡처해서 혜선에게 보냈다.

-이거 실내에서 쓰는 거 아니래.

두 시간이 지나고 혜선에게서 답장이 왔다.

-독해서 조심하는 게 좋을 듯.

지연은 지난 새벽 스프레이를 뿌렸던 사람이 자신이고 창문을 열었던 건 혜선이었을지도 모르겠다는 생각이 들었다. 벽 하나를 두고 누워있던 둘의 영혼이 다른 쪽 몸을 잘못 덮고 잠이 들었을지도 모른다. 유독가스가 혜선과 지연의 신경을 늑진하게 녹여 두 사람 모두 이 뒤바뀜을 눈치채지 못한 것은 아닐까. 지연은 사무실 의자 밑으로 자신의 부츠 코를 만져보았다. 차갑고 매끈한 가죽의 감촉만 감돌 뿐이었다.

퇴근을 하고 집으로 돌아가니 혜선이 거실 소파에 앉아 새로 나온 치킨 먹방을 보면서 저녁을 먹고 있었다. 지연은 신발 방수 스프레이에 대해 더 말해볼지 고민하다 굳이 저녁 시간까지 피곤하게 만들고 싶지 않아 말을 아꼈다.

-다녀왔어.

-응, 왔어?

다행히 이제 거실에는 볶은 양배추 냄새만 남아 있었다. 지연은 씻고 나온 뒤 방으로 곧장 들어가 문을 닫았다.

같이 살기 시작했을 무렵, 둘은 요리를 자주 해 먹었다. 작은 테라스에서 딜을 키워 샐러드에 넣어 먹기도 하고 저녁을 만들다가 다른 사람이 퇴근하면 이런저런 재료를 더 넣고 양을 늘려서 함께 밥을 먹었다. 지연은 저녁을 먹고 온 날에도 혜선이 저녁을 먹겠느냐고 권하면 거절하지 않고 몇 수저라도 먹었다. 지연이 요리하고 있을 때 혜선이 오면 파스타 면을 조금 더 많이 넣거나 참치 찌개에 두부를 더 썰어 넣어 양을 늘렸다. 혜선은 음식에 대해서는 좋고 싫음이 뚜렷하여 지연이 권하는 요리를 항상 먹는 것은 아니었다. 그날 지연은 토마토 달걀볶음밥을 하고 있었다. 혜선이 퇴근하고 씻으러 들어가자 지연은 여느 때처럼 양을 늘려 요리했다. 손의 물기를 털며 다가오는 혜선에게 저녁을 먹을지 묻자 혜선은 볶음밥 두 수저에 후식인 데이츠만 달라고 말하고 냉장고를 열어 참치 마요덮밥을 만들기 시작했다.

-볶음밥 양을 넉넉하게 했는데.

-난 오늘 참치가 먹고 싶어서.

지연은 혜선이 요리재료를 다듬는 동안 서둘러 밥을 먹고 볶음밥을 두 수저 정도 떠서 식탁 위에 올려두었다. 프라이팬과 나무 주걱이 하나만 있어 설거지를 얼른 해주어야 했다. 남은 볶음밥은 음식물 봉투에 쏟아 버렸다. 몇 번 이런 일이 일어난 뒤부터 지연은 혜선이 와도 양을 늘려 요리하지 않았고 혜선에게 저녁을 함께 먹을 것을 권하지도 않았다. 혜선도 마찬가지였다. 같이 퇴근하면 타이밍이 좋다고 생각하며 함께 저녁을 먹었었는데 이제는 도어락 열리는 소리가 들리면 급하게 밥을 입에 밀어 넣고 거실을 비웠다.

문밖에서 혜선이 텔레비전을 끄고 설거지하는 소리가 들렸다. 지연은 방 안에서 재택용 노트북으로 보고서를 읽으며 구운 계란과 다이어트용 젤리를 먹었다. 거실이 조용해지자 지연은 물을 먹으러 거실에 나갔다. 개수대에는 지연이 아침에 놓아둔 컵 하나가 그대로 놓여 있었다. 저녁을 만들어 먹고 설거지를 할 때면 지연은 혜선이 놓아둔 컵이나 아침을 담아 먹는 작은 접시를 함께 설거지했다. 혜선은 지연의 물컵을 싱크대 위에 따로 두었다가 자기 그릇들을 다 설거지하고 지연의 컵을 다시 돌려두었다. 지연은 혜선처럼 똑같이 하고 싶다가도 같이 유치해지는 기분이 들어 늘 혜선의 작은 그릇들을 함께 설거지했다. 혜선은 동물보호단체의 에디터였는데 지연은 혜선이 기획한 글을 읽으며 지구 반대편의 바다거북을 위하는 마음은 가득한 사람이 벽 하나를 두고 사는 자신에게는 조금도 손해 보기 싫어한다는 사실이 이상하게 느껴졌다.

둘은 이사 온 뒤 집 근처 카페에 앉아 생활 규칙을 세웠다. 격주로 돌아가면서 거실, 화장실, 싱크대 청소하기, 화분에 물주기, 신발장에는 신발 세 개 이하만 꺼내 놓기, 상대방이 집에 있을 때는 집에 남자친구 데려오지 않기. 처음 몇 달 동안에는 이 법칙이 잘 지켜졌다. 지연과 혜선은 얼마 지나지 않아 이런 규칙들이 사실 큰 의미가 없다는 사실을 알게 되었다. 규칙에 따라 청소를 해도 늘 온전히 맞닿지 않는 구석이 있었다. 청소의 방법이나 깨끗함에 대한 기준이 달랐다. 혜선은 화장실 하수구에 쌓인 머리카락과 개수대에 남겨진 그릇을 보는 걸 못 참았고, 지연은 거실에 남아 있는 음식 냄새와 인덕션 주변의 소스 자국이 거슬렸다.

혜선은 금요일 밤부터 토요일 오후까지 상훈의 집에서 보내는 일이 많았다. 지연은 출장으로 자주 집을 비웠지만 상훈이 지연과 혜선의 집에 놀러온 적은 두 번 정도였다. 언젠가 주말에 혜선은 지연에게 상훈이 동네에 놀러왔다며 저녁을 함께 먹자고 했다. 지연은 혜선에게 이야기로만 듣던 상훈이 궁금하여 흔쾌히 제안을 받아들였다. 세 사람은 집 근처 만두전골 전문점에서 만났는데 주로 상훈이 말하고 둘은 듣고 있는 쪽이었다. 상훈은 메타버스와 관련된 스타트업에 다니는 사람으로 서른네 살이라기엔 어려보이는 얼굴에 키가 컸다. 혜선보다는 다섯 살이 많아 나이 차이가 꽤 있었지만 말투나 눈빛이 대학생 같았다. 상훈은 만두를 수저로 반씩 갈라 떠먹으면서 골프, 해외여행, 자신이 다니는 회사의 CEO가 얼마나 돈을 펑펑 쓰는지에 대한 이야기를 했다.

-저는 마인드가 완전 욜로예요.

상훈이 무슨 말을 하면 혜선은 변호사처럼 변명을 늘어놓았다. 누가 뭐라 하지도 않았는데 어딘가 잘못을 저지르고 혼이 나는 아이 같았다.

-그래도 오빠가 적금도 열심히 들고 여행도 할인을 많이 받아서 가.

상훈은 뜨거운 만두에 입천장을 뎄다고 울상이었다. 혜선은 계산하고 나오면서 막차 때문에 상훈이 가야 할 것 같다고 말했다. 상훈을 버스정류장까지 데려다준 뒤 혜선과 지연은 함께 집으로 들어갔다. 그동안 혜선은 상훈과의 관계에서 생기는 고민들을 지연에게 털어놓았다. 지연이 생각하기에 상훈은 혜선에게 하지 않아도 될 말들을 많이 했다. '더이상 너가 섹시하게 느껴지지 않아.', '네 몸이 나한테 섹시하게 느껴지는 몸은 아니야.' 같은 말들을 전하는 혜선의 목소리가 가늘게 떨렸다. 혜선은 대학 시절 학회에서 주디스 버틀러에 대해 발제하고 지연을 퀴어퍼레이드에 데려갔던 사람이었다. 혜선은 자신에게 안경만 벗으면 예쁠 것 같다고 말하는 사람들이나 술자리에서 '꽃들이 가득해서 분위기가 산다'라고 말하는 사람들에게 그런 말을 들어도 하나도 기쁘지 않다고 말하던 사람이었다. 지연은 담담하게 말하는 혜선을 보며 화를 냈다.

-아니 상훈 오빠도 자기관리를 완벽하게 하지는 않잖아. 자기는 배가 나왔는데 너한테 말랐다고 뭐라고 한다고? 왜 그런 말을 하지?

-나도 오빠가 후드 입고 면도 안 하고 오면 데이트하는 기분도 나지 않고 설레는 것도 덜한 것 같다고 했어. 있는 그대로 사랑해주어야 한다고 하지만 우리는 어쩔 수 없이 보이는 모습도 중요하잖아. 상훈오빠도 그런 마음에서 이야기한 건 아닐까?

혜선이 다니는 동물보호단체에는 권리와 존중에 민감한 사람들이 대부분이라 상훈처럼 날 것 그대로의 생각을 입 밖으로 꺼내는 사람은 없었다. 아마 상훈도 혜선이가 아닌 다른 직장동료 앞에서는 말할 수 없었을 것이다. 마르고 키가 큰 혜선은 브라를 입지 않고 다닐 때가 많았다. 브라를 입으면 소화가 잘 되지 않는다고 했다. 어느 날 상훈은 혜선에게 자신을 만날 때만이라도 제발 속옷을 입어달라고 말했다고 한다. 지연은 그 얘기를 전해 듣고 혜선이 당연히 거절하고 상훈과 싸우리라고 생각했다. 혜선과 상훈이 여수로 여행을 다녀온 뒤, 빨래건조대에는 빨간 속옷 세트가 걸려있었다. 여행에서 돌아온 혜선은 거실 소파에 앉아있던 지연에게 말했다.

-우리 드디어 결혼에 대해서 말했어.

지연은 몸을 일으켜 앉고 니트 담요를 어깨에 고쳐 둘렀다.

-결혼 얘기는 안 하기로 했다더니 이번에는 진지하게 얘기해볼 기회가 있었나 보네.

-오빠가 나는 진짜 착한 애인 걸 알지만 결혼은 아닌 것 같대.

언젠가 지연이 혜선에게 지금 사귀고 있는 상훈과 결혼할 건지 물었을 때 혜선은 어떤 사람을 처음 만나 서로를 알아가는 시간을 되풀이할 엄두가 나지 않는다고 했다. 그러면서 만약 상훈이 결혼을 하자고 하면 할 것이라고 말했다.

-그게 무슨 말이야? 헤어지자는 거야?

-아니, 그건 아니야. 우리는 서로 좋아해. 그냥 결혼 생각만 없는 거야. 나도 결혼이 급하지 않고.

-그래 결혼이 필수는 아니지. 근데 뭔가 괘씸하네.

결혼하지 않겠다고 정해놓고 사귀는 마음은 어떤 마음일까.

지연이 소속된 해외영업팀은 출장이 잦았다. 입사 이후 이 년간 지연은 열한 번 출장을 갔다. 사람이 일평생 하게 될 경험이나 이동거리가 총량으로 정해져 있다면 지연의 경험들은 취업을 준비하는 동안 겹겹이 겹쳐있다가 지난 이 년간 아주 빠른 속도로 지연의 삶을 휩쓸고 지나갔다. 친구들은 그런 지연을 부러워하기도 했지만 지연에게 출장은 선택의 문제가 아니었다. 팀장님이 다음 주에 열일곱 시간 비행기를 타야 하는 브라질로 출장을 가라고 지시하면 군소리 없이 가야 했다. 쏟아지는 업무와 한두 시간 안에 처리해야 하는 일들 속에서 전력이 다른 콘센트와 영어 설명이 없는 메뉴판, 정해진 시간에 출발하지 않는 기차는 낭만적이지 않았다.

남미 출장에서 돌아왔을 때, 지연은 침대에서 움직일 수 없었다. 시차가 열두 시간이나 나는 탓에 낮에 잠이 몰려왔다. 캐리어의 짐도 풀지 못하고 계속 잠을 자다가 겨우 일어나 밥을 먹고 다시 죽은 듯이 자길 반복했다. 지연이 깊은 잠을 자고 일어나 거실로 나가니 현관문이 열려있었다. 양팔에 소름이 오소소 돋았다. 이 작은 집에 누가 숨어들기야 하겠냐고 스스로를 달래며 한 손에 핸드폰을 쥔 채로 집안 여기저기를 살폈다. 닫혀있는 혜선의 방도 열어보았다. 테라스까지 열어 본 뒤에야 빨리 뛰던 심장이 진정됐다.

잠결에 혜선이 급하게 나가는 소리를 들었는데 자동문이 제대로 안 닫힌 것 같았다. 지연은 혜선이 식탁을 두고 베이지색 패브릭 소파에서 밥을 먹다 팔걸이에 김치 국물을 흘렸을 때보다 더 화가 났다. 집은 안전해야 한다. 지연은 혜선에게 카톡을 보냈다.

-자고 일어났는데 현관문이 열려있었어. 다음에는 조심해줘.

-나갈 때 꽉 안 닫혔나 봐. 알았어.

지연은 혜선이가 미안하다고 말하는 걸 들을 날이 없을 것 같다고 생각하며 자동문 건전지를 갈았다. 그때 혜선에게서 카톡이 왔다.

-일주일마다 청소하기로 했는데 하고 있는 건가? 화장실 청소가 덜 된 것 같아. 이번 주에 하기 어려우면 다음 주에는 꼭 해줘.

일주일마다 청소를 돌아가면서 하는 게 규칙인 걸 알았지만 지연이는 약간 억울한 기분이 들었다. 출장을 일주일이나 가 있었는데, 그동안은 자기가 더럽힌 걸 텐데 내가 왜 청소를 해야 하지. 게다가 혜선은 재택근무가 많아 집에 머무는 시간이 많았다. 카톡방에는 지금까지 혜선이 지연에게 보낸 카톡들이 남아 있었다.

-거실에 개인 짐은 치워줄 수 있어?

-개수대에 설거지할 그릇이 남아 있지 않게 해줄 수 있니?

-샤워하고 나서 다시 세면대로 물 나오게 돌려 놓아줄래?

지연이는 이런 카톡을 받을 때마다 미안하다고 미처 신경 쓰지 못했다고 답장했지만 펀치를 맞은 권투선수처럼 기회를 엿봐 비슷한 지적을 하고 싶었다.

-다음부터 요리할 때 내 방문은 닫아줘. 음식 냄새가 배는 것 같아.

-온수 다 쓰고 보일러를 다시 난방으로 돌려줘.

-거실에 쌓여있는 택배박스 버려야 할 것 같아.

그러다가 개수대의 그릇이 놓여 있거나 손을 씻으려다 머리에 물이 쏟아질 때 지연은 혜선에게 장난스러운 말투로 한마디 했다.

-너도 지키는 것만 나한테 하라고 말해.

혜선이는 잠시 민망한 표정을 짓고 대답했다.

-서로 조심하자. 그런데 네 말투는 조금 강압적인 것 같아. 명령형으로 말하는 거 불편해.

-그래, 다음엔 청유형으로 말하면 되니?

지연은 오랫동안 친구였던 혜선이 점점 낯설게 느껴졌다. 말도 행동도 더욱 조심해야 했다. 양보나 이해는 집을 나갈 채비를 마치고 마지막에 뿌리는 향수 같았다.

지연과 혜선은 부싯돌이라도 되는 것처럼 서로의 동선을 피해 다녔다. 환기가 안 되는 지하 주차장처럼 둘의 사이는 다시 상쾌해지기 어려워 보였다. 불꽃이라도 일면 격렬하게 폭발해 지축을 흔들고 303호를 불태울 것 같았다. 그런 생각에 빠져 있을 때 갑자기 초인종 소리가 들리고 누군가 문을 두드렸다. 가스 검침원 아주머니였다. 지연이 문을 열자 아주머니는 주방에 성큼성큼 걸어 들어왔다. 여기저기 기계를 가까이 대며 가스가 새는 곳이 없는지 점검하던 아주머니가 지연을 돌아보며 말했다.

-여기 테라스로 나갈 수 있어요?

-네, 근데 조심하셔야 해요. 나무 데크가 오래돼서 저희는 잘 안 나가요.

아주머니는 나무 데크 밑을 한번 보더니 혜선이의 방에서 창문을 열어 확인하는 편이 낫겠다고 했다. 지연이는 문을 열어도 될지 잠시 고민하다가 혜선이의 방문을 열었다. 혜선이는 거실에 대해서는 조금만 흐트러져도 한숨을 쉬거나 치워달라는 카톡을 보냈기 때문에 지연은 혜선의 방이 먼지 한 톨 없이 깔끔하리라고 생각했다. 그런데 여기저기 옷가지와 신문이 쌓여있었고, 책상 위에는 그릇들과 컵들이 모여 있었다. 아주머니는 정돈되지 않은 방에 익숙한 것처럼 아무렇지 않게 혜선의 방으로 들어가 창문을 열고 테라스 쪽에 기계를 대보았다. 지연은 거실에서 아주머니를 지켜보았다.

-다 됐습니다. 이상 없네요. 여기 사인해주세요.

아주머니가 간 뒤 혜선이 방의 창문을 닫기 위해 다시 방에 들어갔다. 혜선이의 방문에는 달력이 하나 있었는데 구월에 '전세계약 종료 통보 방법 알아보기'라고 적혀 있었다. 지금은 십이월이고 전세 만료는 삼월이니 한 달 뒤에는 집주인에게 종료 통보를 해야 할 것이었다. 지연과 혜선은 전세 계약연장이나 종료에 대해서는 말해보지 않았지만 둘 다 계약이 만료되는 삼월에 자연스럽게 헤어질 것이라는 걸 암묵적으로 짐작하고 있었다. 그러나 지연은 구월에는 상황이 이렇게까지 될 줄 예상하지 못했었다. 그때에도 각자의 방문을 닫고 거실에 함께 앉아 대화하는 일이 드물었지만 둘 다 직장이 바빠 소원해졌다고 생각했던 시기였다. 혜선의 방에는 지연이 대학생 때 그린 그림이 붙어있었다. 거북이를 타고 어디론 가 떠나는 혜선의 모습이 색연필로 섬세하게 그려진 그림이었다. 벽의 다른 쪽에는 다섯 살 정도로 보이는 혜선의 어린시절 사진과 친구들과 찍은 사진들, 말라붙은 낙엽이 붙어있었다.

인도네시아 출장에서 돌아온 지연은 인천공항에서 건우를 만 났다. 익숙하게 캐리어를 받아드는 건우는 주차장을 향해 빠르게 걸 었다. 지연은 건우의 차 안에서 잠이 들었다. 눈을 뜨니 집 앞이었 고 지연은 잠이 덜 깬 채로 차에서 천천히 내렸다. 벌써 시간은 밤 열 시가 넘어가고 있었다. 낡은 빌라에는 엘리베이터가 없어 캐리 어 하나는 지연이가, 다른 하나는 건우가 들고 계단을 올라갔다. 짧은 잠이 기폭제라도 되었는지 몸은 천근만근이었다. 303호의 문을 열자 거실이 캄캄했다. 혜선이는 자고 있는 걸까 아직 들어오 지 않은 걸까. 지연은 낑낑대며 캐리어를 신발장 안으로 밀어 넣었 다. 뒤따라오던 건우도 캐리어를 들고 문밖에 서있었다. 그때 갑자 기 혜선이 방에서 튀어나왔다.

-왔어?

반가운 목소리였다. 지연은 혜선을 보자마자 건우를 뒤로 밀고 문을 닫았다. 혜선도 건우를 보고 소라게가 껍질에 들어가듯 순식 간에 방으로 들어갔다. 지연은 거실의 불을 켜고 캐리어를 방안에

눕혀 가로로 쌓아 올려두었다. 옆방에서는 아무런 소리가 들리지 않았다. 전화를 걸어 건우에게 근처에서 잠시 기다려달라고 말한 뒤에 혜선에게 카톡을 보냈다.

-미안해. 오늘 출장에서 막 돌아와서 건우 오빠한테 짐을 좀 들어달라고 부탁했어. 집에 들어오려던 아니고 신발장으로 짐을 옮기려고 했는데. 많이 놀랐지?

지연은 옷을 갈아입고 밖으로 나섰다. 운동화를 신고 밖으로 나가려는데 혜선에게 답장이 왔다.

-괜찮아. 다음에는 조심 좀 해줘.

지연은 어떻게 조심할 수 있을까 생각해보았다. 첫 번째 방법으로 집에 오기 전에 전화나 카톡으로 혜선이가 집에 있는 것을 확인한다. '혹시 건우가 짐을 두러 문밖에 잠시 서 있어도 될까?' 두 번째 방법은 캐리어를 바깥에 두고 집에 들어와 혜선이 방문에 노크를 하고 집에 있는지 확인한다. 그렇지만 남자친구가 문 앞에 서 있어도 괜찮을지 물으려 잘 자는 사람을 깨우고 싶지 않았다. 세 번째, 그냥 지연 혼자 두 개의 캐리어를 1층에서부터 옮기는 방법도 있을 것이다. 아니면 건우가 3층까지 짐을 들어주고 내려간 뒤 303호의 문을 열어 들어갈 수도 있다. 건우와 밥을 먹으면서도 지연은 머릿속이 복잡했다. 수저를 내려놓고 혜선에게 카톡을 보냈다.

-어떻게 조심을 해야 할까?

-재발 방지는 돼야지. 나한테 미리 알려주거나 건우씨가 짐을 두고 내

려간 다음에 문을 열던지.

　지연은 이번 일이 정전기 같은 일이라고 생각했다. 그냥 조심하겠다고 넘어가면 될 일이었을지도 모른다.

　-네가 거실에 있었거나 인기척이라도 있었으면 건우가 계단을 다 올라오기 전에 두고 내려가라고 말했을 거야. 재발 방지를 위해서 너도 나시만 입고 있으면 굳이 인사하러 갑자기 나오지 않아도 돼.

　혜선은 아무런 대답도 하지 않았다. 그날 밤 지연은 혜선의 닫힌 방문 앞에 인도네시아에서 사온 헤어에센스와 커피를 놓아두었다.

　지연은 체구가 작아 이인용 소파에 다리를 펴고 누울 수 있었다. 지연은 소파에 누워 이주 뒤에 예정된 카타르 출장에서 파티마에게 줄 전통공예품을 찾고 있었다. 파티마의 인스타그램 게시물을 뒤지고 취향을 짐작하며 나전칠기, 옻칠함, 나주소반, 방짜유기 같은 한국 전통공예품들을 살펴보던 중에 도어락 누르는 소리가 들렸다. 혜선이었다. 손을 씻고 거실로 나온 혜선은 식탁 의자에 앉아 지연을 바라봤다.

　-거기 누워져?

　-응 내 키에는 넉넉해.

　혜선이는 힘없이 웃다가 트렌치코트를 벗어 다른 쪽 의자에 걸어 두며 말했다.

　-나 사실 삼 주 전에 상훈 오빠랑 헤어졌어.

지연은 소파에서 벌떡 일어나 놀란 눈으로 혜선을 바라보았다.

-네가 헤어지자고 했어?

-아니, 오빠가 헤어지자고 말했어. 나도 이번에 헤어질지도 모른다는 생각은 하고 있었어. 곧 천일 기념일인데 전처럼 어디 여행을 가자고 하거나 식당을 예약하자는 말을 하지 않길래.

지연은 혼자 이마에 열이라도 재는 듯이 머리에 손을 얹고 말했다.

-이유가 뭐래?

-더이상 내가 이성으로 느껴지지 않고 그냥 친한 친구 같대, 그래도 내가 밉지는 않다고 하더라.

혜선의 눈에 눈물이 차올랐다. 혜선은 눈물을 훔쳐내고 말을 이었다.

-근데 지금은 아직 준비하느라 별로 슬픈지도 모르겠어. 오늘도 퇴근하고 면접 스터디하고 온거야.

지연은 잠시 말을 고르다가 한숨을 쉬었다.

-그래, 난 항상 네가 더 아까웠어. 헤어지는 마당에 이성으로 느껴지지 않는다는 말은 왜 해? 오히려 잘 됐어. 금방 괜찮아질 거야.

혜선은 눈물을 닦고 지연을 쏘아보았다.

-그래도 만난 지 삼 년이나 됐는데 괜찮지는 않지.

지연은 실수했다는 걸 깨달았다. 그저 듣고만 있어야 할 때가 있는데 성급하게 위로를 한답시고 하지 않아도 될 말을 해버렸다.

-미안해, 나는….

혜선은 지연의 말이 끝나기 전에 겉옷과 가방을 챙겨 쾅 하는 문소리와 함께 방 안으로 들어갔다. 지연이도 잠시 멍하니 앉아있다 방으로 들어가 문을 닫았다.

지연의 선배는 미팅이 끝나자마자 서울로 복귀하기 위해 하미드 국제공항으로 간다고 했다. 출발 직전에 항공권을 예약한 터라 지연은 같은 비행기를 타지 못하고 다음 날 새벽 비행기를 발권할 수밖에 없었다.

-중동은 처음이지? 오기 어려운 곳인데 몇 시간이라도 좀 둘러보고 와.

호텔 방문이 닫히는 소리를 듣고 지연은 정장을 입은 채로 침대에 털썩 누웠다. 하얀 대리석과 짙은 네이비색으로 꾸며진 방안에서 수영장이 내다보였다. 노출을 삼가는 문화는 호텔의 외국인에게는 예외인지 창밖에는 알록달록한 수영복을 입은 사람들이 데크에 누워 햇살을 즐기고 있었다. 이번에 동행한 현지인 통역사는 지금은 십이월이라 기온이 높지 않지만 여름에는 잘못 나가면 화상을 입을 정도로 햇살이 강하다고 설명했다. 지연에게 도하의 십이월 날씨는 여름 같았다. 지연은 충혈된 눈을 비비며 통역사가 추천한 더 펄 섬을 둘러보고 와야겠다고 생각했다.

더 펄 섬은 호텔에서 차로 이십 분 정도 떨어져 있었다. 위에서 보면 두 개의 진주가 나란히 붙어있는 모양의 인공섬으로 화려한 명품매장들이 자리하고 있는 곳이었다. 카타르는 수 세기 동안 진주를 수출하던 작은 어촌마을이 주를 이루었는데 1930년대 말에 석유 채굴을 시작하고 본격적으로 석유와 천연가스를 수출하여 경제부국이 되었다. 이후에는 외국인 인구가 급격히 증가하여 지금은 그때와 비교하면 총인구가 백배 넘게 늘어났다고 한다. 그 중의 열에 한 명만 원래부터 이 땅에 살았던 사람이고 나머지는 주변국에서 넘어온 외국인들이었다.

지연은 편한 옷으로 갈아입고 우버 앱을 열어 더 펄의 알아먀스 레스토랑을 목적지로 입력했다. 도착하기까지 이십 분 정도 걸린다고 표시되었다. 우버는 호텔 앞에 금방 도착했다. 자신을 핫산이라고 소개한 기사는 체격이 크고 배가 나온 푸근한 인상이었다. 차에는 땅콩 껍질들이 날아다니고 있었는데 차의 위생상태에 전혀 신경을 쓰지 않는 것 같았다. 어딘가에서 매콤한 향신료 냄새가 났다. 핫산은 나에게 이것저것 물었다. 이름은 최지연이고 나이는 스물 아홉이다. 카타르에는 일을 하러 왔고 내일 새벽 비행기를 타고 한국으로 돌아간다. 모국어가 아닌 언어로 소개하는 나는 군더더기 없고 명료했다. 핫산은 더 펄에 쇼핑을 하러 가냐고 물었다. 지연은 사실 쇼핑을 할 생각은 없었고 누군가에게 추천을 받아 가는 거라고 대답했다. 핫산은 오늘이 지연이가 카타르에서 보내는 마지막 날이라는 말에 안타깝다는 듯이 탄식했다.

-카타르를 떠나기 전에 뭘 하고 싶어?

-사실 낙타를 보고 싶었어. 근데 그럴 시간은 없을 것 같아.

핫산은 다시 안타깝다는 표정을 지으며 말했다.

-낙타 보러 가고 싶어? 내가 아는 곳이 있어. 네가 원하면 삼십 분만에 데려다줄게.

차창 바깥에는 화려한 고층빌딩이 빠른 속도로 지나갔다. 바다 위에는 하얀색 요트들이 줄을 지어 정박해있었다. 삼십 분만 가면 사막과 낙타가 있으리라는 생각은 들지 않았다.

-그래, 삼십 분이랬지. 가보자.

이십 분만에 창문 밖의 풍경이 달라졌다. 끝없이 펼쳐진 도로 위로 핫산의 차는 빠르게 달리고 있었다. 지연은 약간 현기증이 났다. 사막의 모래색과 거의 비슷한 직선 모양의 집들 사이로 잎이 작고 몸통이 큰 나무들이 휙휙 지나갔다. 핫산은 운전을 하면서 자신이 살아온 얘기를 들려줬다. 팔레스타인 출신 어머니와 이스라엘 출신 아버지 사이에서 태어난 핫산은 어머니와 함께 살다가 젊은 나이에 카타르에 오게 되었다고 한다. 그는 아르헨티나에서 온 사업가에게 영어를 배웠는데 그 사업가는 핫산을 마음에 들어 했고 개인 기사처럼 데리고 다녔다고 한다. 술에 취해 인사불성이 된 사업가가 호텔을 찾지 못 할 때, 핫산은 그가 길에서 강도를 당할까 봐 걱정되어 호텔 안 침대까지 데려다줬고 그 이후에 사업가는 뭐든 빨리 배우는 핫산에게 영어를 가르쳤다고 했다. 떠나는 날 사업가는 핫산에게 월급을 많이 줄 테니 자신과 같이 아르헨티나에 가지 않겠냐고 물었고 핫산은 가고 싶었지만 비자문제로 그럴 수 없었다. 카타르를 떠나며 남자는 핫산에게 큰 돈을 주었다.

핫산은 몇 달 동안 운전기사 일을 하지 않고 쉬다가 돈이 다 떨어져서 다시 우버 기사로 일하고 있다고 했다. 지연은 핫산의 이야기에 정신없이 이야기에 빠져들었다. 정신을 차리니 벌써 출발한 지 오십 분이 지나 있었다. 창 바깥으로 사막이 끝없이 펼쳐져 있었다. 가끔 뿌연 흙먼지 사이로 가스와 원유 채굴을 위해 세워진 철제구조물들만 보일 뿐이었다. 그런 시설들에는 굴뚝같이 생긴 구조물 위로 불꽃이 타오르고 있었다.

-저건 뭐야? 가스를 채굴하는데 불은 멀리 있어야 하는 거 아니야?

-플레어 스택이야. 필요 없는 가스를 태워서 안전하게 내보내는 거야. 네가 걱정하는 위험한 물질들을 태워서 사고가 나지 않게 밖으로 내보내는 장치야.

지연은 고개를 끄덕이며 모래 먼지 사이로 불꽃을 바라보았다.

-아직 멀었어? 삼십 분이 훨씬 지난 것 같은데.

-거의 다 왔어. 곧 도착할 거야.

핫산은 좁은 길에 다다르자 속도를 줄였다. 그곳에는 건축물을 짓다 잠시 쉬는 중인 듯한 흰옷을 입은 남자 네 명이 있었다. 핫산이 창문을 열어 뜻이 가늠되지 않는 언어로 무언가 말하자 하얀 수염이 난 남자가 손가락으로 한 방향을 가리켰다. 지연은 순식간에 불안해졌다. 갖가지 위험한 상황들이 머릿속에 파노라마처럼 펼쳐졌다. 핸드폰으로 전화를 걸어 도움을 요청하려고 해도 여기가 어디라고 설명할 수 없고 내일까지 연락이 되지 않더라도 모두 지연이 비행 중이라고 생각할 것이다. 구글맵으로 확인해보니 현재 위치는 원래 가려던 더 펄과는 반대쪽에 위치한 메사이드였다. 도하에서 차로 한 시간 가량 떨어진 곳이다. 지연은 다시 돌아가야겠다는 마음이 들었지만 겁이 난 것을 들키고 싶지 않아 최대한 쾌활한 목소리로 말했다.

-핫산, 나 이제 돌아가야 할 것 같아. 새벽에 나가야 하니 저녁에 좀 쉬어야겠어. 덕분에 사막을 실컷 봤어. 고마워.

-무슨 소리야. 이제 정말 도착이야.

핫산이 가리킨 곳을 보니 정말 낙타들이 보였다. 스무 마리가 넘는 낙타들이 무리지어 있고 관광객들로 보이는 사람들이 하얀 옷을 입은 사내가 끄는 낙타를 타고 모래 언덕을 올라가고 있었다. 주변에는 스무 대 정도의 차가 곳곳에 주차되어 있었다. 낙타의 등에는 색동저고리 같은 직조물이 올려져 있었고 입에는 입마개가 씌워져 있었다. 지연은 생각보다 큰 낙타를 이리저리 한참을 살펴보았다. 지연의 주먹 만한 검은 눈동자 위로 긴 속눈썹이 뻗어 있었다. 핫산은 지연에게 낙타를 타보라고 했지만 지연은 낙타를 보기만 했다.

낙타의 발가락만 보고 있는 지연에게 핫산이 자신을 따라오라고 말했다. 발밑이 푹푹 꺼지는 모래 위를 걷다 보니 사막의 둔덕 사이로 페르시안 걸프 만의 청색 바다가 신기루 같은 얼굴을 내밀었다. 지연은 뒤를 돌아 사막의 모래언덕이 만들어내는 선들을 손가락으로 따라 그려보았다. 뒤를 돌면 다시 바다였다. 바다에는 옷을 벗고 수영을 즐기는 사람들이 있었다. 다시 뒤를 돌아 하나의 모래언덕만 넘으면 낙타들이 관광객들을 태우고 길고 가는 다리로 느릿느릿 사막을 걷고 있을 것이다. 지연은 그 사실이 믿기지 않아 몇 번이고 뒤를 돌아보았다. 그런 지연을 보며 핫산이 껄껄껄 웃었다. 사막을 바라보면 뒤에 바다가 있다는 사실을 믿을 수 없어 다시 뒤를 돌아보았다. 그때마다 바다는 여전히 그 자리에 있었다. 모래 위로 바닷물이 반짝였다. 등 뒤로 끝없이 펼쳐진 사막이 해변의 모래사장처럼 느껴졌다.

일을 시작한 뒤 지연은 모래 알갱이가 된 기분이었다. 텔레비전의 채널을 이리저리 돌릴 때처럼 음절들이 조각나고 곤충, 음식, 총을 든 사람들, 이혼 전문 변호사의 이미지가 일 초 간격으로 맺혔다가 사라졌다. 그 단차에서 오는 얼얼함에 어느 지층에도 쌓이지 못하고 이리저리 굴러다니는 기분이었다. 건조한 눈을 비비며 버텨가던 날들이었지만 뒤를 돌아보면 바다가 있었을지 모른다. 지연은 바다로 다가가 손을 적셨다. 방심한 사이에 파도가 다가와 운동화를 적셨다.

2. 이인용 소파

열한 시쯤 느지막하게 잠에서 깬 지연은 책상 위에 있던 머그컵을 들고 거실로 나갔다. 햇살이 흰 시폰 커튼으로 부드럽게 배어 들고 있었다. 토요일 오후의 집은 고요했다. 그동안 거실 밖의 조그마한 기척에도 예민하게 신경을 곤두세웠던 탓인지 아무도 없는 집안의 고요함이 생경하게 느껴졌다. 지연은 방문 앞에 가만히 서서 거실을 바라보았다. 아이보리색 소파 앞에는 작은 원목 테이블과 텔레비전이 있었다. 소파 뒤 벽에는 지연이 좋아하는 일러스트레이터가 그린 유월 달력이 붙어 있었다. 달력에는 강아지 두 마리가 숲속에서 서로 몸을 기대고 앉은 모습이 오일파스텔로 그려져 있었다. 지연은 소파에 앉아 혜선의 방문을 바라보았다. 문에는 혜선과 상훈과 일본 여행을 갔을 때 샀다던 달력이 아직도 걸려 있었다. 익살스러운 고양이들이 그려진 달력이었는데 그 달력은 구월에 멈추어 있었다. 지금은 일월이니 작은 거실 안의 시간 변경선들이 이리저리 꼬여 시간의 흐름이 잔뜩 비틀려 있었다. 지연은 혜선과의 시차가 점점 더 벌어지고 있다는 것을 알았다. 지진으로 어긋난 퇴적층의 단면처럼 이전에 같은 결의 시간을 함께 보냈다는 것을 짐작할 수 있을 뿐이었다.

그날 밤, 혜선에게서 카톡이 왔다.

-지연아 거실로 잠깐 와줄 수 있어? 전세 계약을 어떻게 할지 이야기해봐야 할 것 같아.

지연은 거실 소파에 앉아 혜선을 기다렸다. 방 안에서 작게 기침하는 소리가 들렸다. 혜선이 푸석한 얼굴로 눈을 비비며 나와 식탁 의자에 앉았다.

-우리 집 계약이 이제 두 달 정도 남았는데 어떻게 하고 싶어?

혜선이가 말했다. 지연은 방문을 닫은 채 문밖의 인기척에 귀를 기울이며 혜선을 피해다니는 지금의 상황이 몹시 피곤했다. 얼른 다른 곳으로 이사하고 싶다가도 갑자기 생기는 출장 일정과 주말 출근이 당연한 회사생활 중에 시간을 내어 집을 새로 구하는 게 막막했다. 만약 지금까지처럼 이삼 개월에 한 번 정도만 신경 쓰이는 일이 생긴다면 해외 지사로 파견되는 일 년 후까지 더 사는 것도 괜찮다고 생각했다.

-나는 일 년 더 사는 것도 괜찮아.

혜선은 지연의 말을 듣고 당황한 표정을 지었다가 금세 굳어진 표정으로 바닥을 봤다.

-나는 여기서 더 같이 살 생각은 없어.

지연은 왜 그런지 묻지 않았고 혜선도 별다른 이유를 설명하지 않았다. 잠시 침묵이 흐르고 지연이 말을 꺼냈다.

-그럼 이번 달 안에 집주인한테 계약종료 통보하자. 삼월 말에 계약이 만료되면 연장 없이 끝내기로 하고 이제 각자 집을 알아보면 되겠다.

-응, 내가 이렇게 문자 보낼게.

혜선은 집주인에게 보낼 전세 계약종료 통보문자를 지연에게 보여줬고 지연은 고개를 끄덕였다. 지금이라도 입 밖으로 꺼내기엔 치사하고 꼴사나운 이야기를 하며 언성을 높이고 붉어진 얼굴로 서로를 연료 삼아 불을 붙이면 어떨까. 거실을 가득 채운 방수

용 스프레이가 모두 안전하게 연소 될지, 불을 붙이는 순간 폭발음만 남기고 잔해도 없이 사라질지 지연은 알 수 없었다.

3. 혜선의 방

혜선은 며칠 전 도시재생에 대해 취재하는 기자와 마포구의 문화 비축기지에 방문했다. 6907리터의 석유를 보관했던 원형 통들이 기지 안에 흩어져 황적색 비늘들을 떨쳐내고 있었다. 원형 통 안에 들어간 혜선은 파이프 구멍을 보기 위해 고개를 꺾어 천장을 바라보았다. 천장에는 긴 막대를 넣어 원유의 양을 측정하던 구멍이 작게 뚫려 있었고 그 틈으로 햇살이 연극무대의 스포트라이트처럼 비치고 있었다. 탱크 안은 천장이 높은 사원이나 성당 같았다. 원유를 보관하던 장소는 이제 문화공간으로 바뀌어 나들이를 온 가족들이 빈백에 누워 미디어아트를 관람하고 있었다.

휘발유를 보관하던 비축통으로 들어가야 하는 사람들은 정전기가 일어나지 않도록 청으로 만든 작업복을 입었다고 한다. 같이 들어가는 동료들과 부딪혀 작은 정전기만 생겨도 모두가 위험해지기에 거리를 둔 채 살금살금 계단을 타고 지하로 내려가는 사람들. 오래전 사라진 고대 부족의 이야기를 듣는 사람처럼, 사람들은 공간 해설가의 말이 유일한 진실인 것처럼 고개를 끄덕였다.

두 발자국만 떨어져도 소리가 울려 옆 사람이 하는 말이 한국어인지, 영어인지 아니면 다른 이국의 언어인지 알 수 없었다. 오직 어조만 남아 웅얼거림으로 거대한 통 안을 오랫동안 돌아다녔다. 어떤 말들은 오래 남아 먼지와 함께 서서히 발밑으로 가라앉고, 가볍게 날아다니다 기화되어 비축통 천장에 맺힌 말들도 있었다. 탱크 안에 들어온 사람들이 쏟아내는 새로운 말들이 오래된 말들을 비집고 빠르게 헤엄치며 사람들 사이를 스쳤다. 사람과 벽에 부딪혀 원래 모습을 잃었지만 운 좋게 천장의 구멍으로 탈출하는 말들도 있었다. 사람들은 이 웅성거림이 옛날부터 고여있던 말들인지 눈치채지 못했지만 오래된 말들이 스쳐갈 때면 오래전 기억이 떠올라 발걸음을 멈추고 가만히 서 있었다.

혜선은 고등학생이었던 지연을 떠올렸다. 지연은 키가 작고 앳된 얼굴을 한 채, 이래도 좋고 저래도 좋다고 말하는 친구였다. 두 사람은 밤 열 시에 야간자율학습을 마치고 함께 집으로 돌아갔다. 주홍색 가로등 밑을 걸으며 둘은 미래에 대해서 쉴 새 없이 조잘거렸다. 혜선은 대학생이 되어서는 약한 것들을 지키는 사람이 되고 싶다고 말했고 지연은 아직은 잘 모르겠지만 대학생이 되면 교환학생으로 외국에 가고 싶다고 말했다. 가로등 밑에서 나누던 대화가 멈추게 된 건 혜선과 지연이 함께 지원했던 중앙대학교 수시 전형에서 지연만 붙게 된 이후였다. 평소처럼 함께 귀가하기 위해 후문에서 기다리고 있던 지연에게 혜선은 앞으로는 따로 가자고 말했다. 그때 혜선은 그러고 싶었다. 정시로 지연보다 더 좋은 대학교에 입학하고 나서야 지연과 다시 아무렇지 않게 붙어 다녔지만 그때 지연을 피해 도망치듯이 하교하던 나날들이 혜선을 오래도록 괴롭혔다.

303호의 명의자는 아들이었지만 집에 대한 모든 결정은 오미순 할머니가 했다. 할머니는 서울 토박이로 부암동에서 평생을 살다 오 년 전에 여수로 이사하고 시골집에서 농사를 지으며 종종 절에 가는 게 낙이라고 했다. 혜선이 명의자인 집주인 할머니의 아들에게 계약종료 통보문자를 보냈을 때 할머니에게 전화가 왔다.

-아가씨들 오래 살 줄 알았는데 아쉽네, 누가 결혼해요? 그 집은 살았던 사람들이 모두 재계약 두세 번씩을 했던 집인데.

-직장이 멀어져서요. 저희도 아쉽네요.

혜선은 왜 따로 살기 결심하였는지 잘 설명할 수 없었다.

-그럼 내가 부동산에 집을 내놓을 테니까, 요즘엔 어디 사이트에 올린다는데 거기에 좀 올려줘요.

-네, 그럴게요.

혜선은 전화를 끊고 나서 지연이와 따로 살기로 결정하게 된 이유에 대해 설명해보려 하였지만 적당한 말을 찾을 수 없었다.

혜선은 함께 살게 된 이후 처음으로 지연에게 서운했던 기억을 떠올렸다. 두 사람은 건강한 음식을 직접 요리해서 먹어보자고 다짐하며 한 달에 두 번 집으로 유기농 야채를 배달해주는 구독서비스에 가입했다. 야채들과 함께 동봉되어 오는 레시피를 따라 함께 요리해서 저녁을 먹기도 했다. 재택근무가 비교적 자유롭던 혜선이 다른 부서로 옮기게 되면서 사무실에 출근해야 하는 날이 많아졌고 지연도 얼굴을 보기 힘들 만큼 회사일이 바빠졌다. 혜선은 두부를 자르고 양념장을 졸이는 시간이 하루 일과에서 점점 중요해졌다. 편의점 음식으로 요기만 해결하던 삶에서 벗어났다는 사실을 실감하는 시간이었다. 혜선은 지연이 사다 놓는 레토르트 식품들을 볼 때마다 애처롭게 느껴졌다.

여름의 저녁 날, 지연이 일찍 퇴근했는지 신발장에는 신발이 놓여있고 거실 불이 켜져 있었다. 혜선은 저녁을 만들어 함께 먹으려고 지연을 불렀다. 문 뒤에서 아무런 반응이 없자 혜선은 노크를 하고 문을 살짝 열었다. 어둠 속에서 두 눈이 잔뜩 충혈된 지연이 갑자기 들어온 빛에 얼굴을 잔뜩 찌푸리며 문을 닫아달라고 말했다. 혜선은 저녁 이야기는 꺼내지도 못하고 나와 혼자 된장찌개를 먹었다.

혜선은 격주로 배달되는 두 사람 분량의 야채를 어떻게든 소화시켜 보려고 노력했다. 사과에 신문지를 감싸고 당근은 키친타월로 감싸 지퍼팩이나 밀폐용기에 넣어 두었다. 밖에서 간단히 사먹고 싶은 날에도 왠지 모를 의무감에 요리를 했다. 둘이서 함께 키워보자며 지연이 대로변 꽃집에서 사온 딜에 물을 주고 햇볕이 드는 자리로 옮겨 준 것도 혜선이었다. 지연은 출장을 자주 갔고, 한 번 떠나면 일주일은 집에 들어오지 않았다. 혜선은 그럴 때마다 서울에서 시외버스를 타고 한 시간 이십 분을 가야하는 남양주 부모님 집에 가 있곤 했다. 아무도 없는 집은 편했지만 혼자 남겨져 누군가를 기다린다는 기분을 느끼고 싶지 않았다. 그러는 동안 계절이 변하고 겨울이 되었다. 여느 때처럼 지연은 출장을 가고 혜선은 부모님 집에 있다 돌아왔다. 현관 앞에는 전날에 배송된 야채박스가 덩그러니 놓여 있었다. 추운 겨울 새벽에 배달 된 야채 박스를 열어보니 잎채소와 뿌리채소를 구분할 것도 없이 모두 얼어 있었다. 몇 시간 뒤 캐리어를 끌고 출장에서 돌아온 지연에게 혜선이 말했다.

-야채 배달 시킨 게 다 얼어버렸어, 어쩌지?

지연은 작게 탄식하며 말했다.

-그냥 냉동실에 넣어놓고 얼린 채로 보관했다 쓰면 어떨까?

-상추나 로메인은 한 번 얼어버리면 못 쓸 것 같아.

-냉장고에서 서서히 녹이면 어때?

-녹고 나면 물렁해지거나 식감이 이상해지지.

지연은 잠시 고민하더니 말했다.

-어쩔 수 없다. 버리자.

혜선은 자신도 모르게 눈물을 흘리고 있었다.

-아니, 그게 중요 게 아니라.

지연은 영문을 모르겠다는 표정으로 눈물을 훔치는 혜선을 바라보았다. 혜선 자신도 자신이 이미 얼어버린 야채를 두고 왜 울고 있는지 알 수 없었다. 당황한 지연이 연신 미안하다고 말하는 모습을 보며 혜선은 야채 구독을 그만하는 게 좋겠다고 말했다.

집주인 할머니와 이야기를 나눈 뒤, 혜선은 피터팬의 좋은 방 구하기라는 어플리케이션에 글을 게시했다. 거실과 혜선 본인의 방, 지연의 방을 찍은 사진과 함께 줄글로 설명을 달았다. 사는 동안 늘 닫혀있어서 잘 실감이 나지 않았었는데 지연의 방은 혜선의 방보다 반절 정도가 더 작았다.

직장이 멀어져 이사하게 되었습니다. 조용하고 햇빛이 잘 드는 2층 투룸입니다. 작은 테라스가 있어 식물을 키우기 좋고 분리수거함을 내놓기 좋습니다. 주변에 예쁜 카페와 맛집이 많고 인왕산이 가까워 등산하시기에도 좋습니다.

글을 올린 지 이주나 되었지만 집을 보고 싶어 하는 사람은 한 사람밖에 없었다. 그 사람이 집을 보러 오길 원하는 날짜에 혜선은 이미 선약이 있었다. 그 이야기를 들은 지연은 자신이 연가를 써서라도 집을 보여주겠다고 말했다.

-부동산 아주머니가 같이 안 오시는데 나 혼자 집을 보여주는 건 위험할 것 같아. 건우 오빠한테 잠깐 와달라고 부탁하려고 하는데 괜찮아?

-응, 괜찮아.

-너는 다른 집 구하고 있어?

혜선은 아직 한 번도 집을 보러 가지 않았다. 핸드폰 앱으로 몇 군데 찾아 보았지만 아직 보러 갈 정도로 마음에 드는 집은 찾지 못했다. 지연은 자신이 주말 동안 본 집들에 대해 이야기했다.

-우리 만약 다음 세입자가 안 구해지면 어떻게 되는 거지? 그래

도 계약은 3월 28일에 끝나는 거야? 오늘 집주인한테 전화해 보자.

혜선이 대답했다. 아직 정확히 찾아보지 못 했지만 올해에는 청년 전세자금대출을 받을 수 있는 소득 상한을 넘을 것 같았다. 청년 전세자금대출을 받지 못하면 한 달에 내야 할 전세자금대출 이자가 두 배는 늘어날 것이다.

-나는 3월 28일에 꼭 나가야 해. 다음 집은 청년 전세자금대출로 받으려고 하는데 올해 소득이 소득 상한을 넘을 것 같아서 연말정산이 끝나기 전에 나가야 해.

-그래, 근데 아마 소득 기준은 작년 기준일 수 있어. 우선 은행에 기준 시점이 신청 시인지, 작년인지 확실하게 확인해 줄래?

지연은 건조하고 사무적인 얼굴로 말했다. 대학생이었던 지연은 자신이 숫자계산에 약하고 행정적인 일을 처리하기 어렵다고 울상을 짓곤 했는데 이제는 모든 문제를 빠르고 효율적으로 처리하고 싶어했다.

재계약을 하지 않겠다고 문자로 통보한 지 한 달하고 보름이 지나도록 다음 세입자가 구해지지 않자 혜선과 지연은 초조해지기 시작했다. 전세 사기에 관한 뉴스가 자주 텔레비전에 나왔다. 이년 전 지연이의 회사 합격을 축하하는 자리에서 혜선이는 대학교 동기와 함께 살고 있던 회기의 투룸 월세 계약을 연장하지 않을 거라고 말했다. 혜선은 같이 살던 동기는 취업 준비를 위해 다시 부모님 집으로 다시 들어가게 되었다는 말을 넌지시 전하며 지연이의 표정을 살폈다.

- 난 원룸은 못 살겠어. 방이 하나면 음식을 해도 온 집에 냄새가 배고 화장실 문이 침대 바로 옆에 있잖아.

혜선은 지연이 마침 회사 근처로 집을 구하는 중이라는 걸 알고 있었다. 지연은 별다른 고민 없이 회사주변 오피스텔 월세는 너무 비싸 월급의 삼 분의 일을 주거비용으로 낼 수는 없다고 생각했다며 혜선에게 그렇게 된 거라면 함께 살자고 말했다.

같이 사는 동안 혜선의 엄마는 멸치볶음, 열무김치, 콩나물무침 같은 반찬을 가끔 보내왔다. 혜선은 집에서 받아온 반찬을 냉장고에 채워 넣으며 말했다.

-엄마가 너랑 같이 먹으라고 많이 싸줬어. 열무김치국수 해먹자.

지연은 고맙다고 말했다. 지연은 반찬에 거의 손을 대지 않았지만 혜선이 반찬을 가져온 날에는 카레가루, 냉동 소고기, 유자폰즈소스같은 다른 것들을 사놓곤 했다.

혜선은 거실에 누워있다가 지연이 엄마와 통화하는 소리를 듣게 된 적이 있다.

-엄마는 내가 걱정이 안 돼? 혜선이네 엄마는 맨날 반찬해서 보내주시는데.

처음에는 분명 장난스러운 목소리였는데 잠시 후에는 갑자기 목소리가 높아졌다.

-알아, 나도. 사서 먹는 게 싸고 맛있는 거. 엄마 바쁜 것도 알아, 아니, 돈 보내지마.

혜선은 와작와작 씹어먹던 시리얼을 내려놓고 숨을 죽이고 있다가 방문을 조용히 닫고 방으로 들어갔다. 혜선은 다른 친구들에게는 해맑고 철이 없다는 이야기를 듣는 지연이 사실은 얼마나 예민하고 냉정해질 수 있는지 알고 있었다. 혜선은 지연의 직장이 지연의 좋은 부분들을 침식시키는 산화제 같다고 생각했다. 날이 갈수록 지연은 둔해야 할 것에 예민해졌고 예민해야 하는 부분에 둔해졌다. 혜선은 동물권 보호를 위해 애쓰고 있는 자신의 일이 별로 중요한 일이 아니라는 것처럼 이야기하는 지연에게 상처받았다. 지연은 본인이 하는 일도 중요한 일은 아니라고 하며 이 세상에 중요한 일을 하는 사람은 사실 몇 명 없을 거라고 냉소적으로 말했다. 맥주를 마시며 '공익을 추구하면서 사는 일이 우리한테 돌려준 게 뭐지? 자긍심? 남들과는 다르게 사회를 위해서 산다는 우월감?'이라고 묻는 지연은 혜선이 알던 사람이 아닌 다른 사람 같았다.

두 달째 다음 세입자는 구해지지 않았다. 그동안 네 명 정도의 사람이 집을 보러 찾아왔다. 부동산 아주머니는 집을 보여주러 와서 꼭 작은 테라스를 활짝 열었다. 문밖에서 아직 차가운 이월의 칼바람이 들어왔다.

-봄이 오면 테라스에서 커피 한 잔하면 정말 좋겠네요. 화분도

키우고 고기도 구워 먹을 수 있어요.

그 곳에는 혜선과 지연이 딜을 키웠던 화분만 남아 있었다. 한때 연녹색 딜이 빼곡하게 자랐던 화분에는 거칠고 마른 갈색 풀이 이리저리 엉켜있었다. 집을 보러 온 벙거지를 쓴 젊은 여자는 문밖으로 고개를 내밀고 두리번거리며 말했다.

-여기는 자주 사용하지 않으신 것 같네요.

혜선과 지연은 어색하게 웃으며 말했다.

-둘 다 직장이 바빠서 잘 안 열어 봤네요.

혜선과 지연은 집주인 할머니에게 전화를 걸었다. 집이 생각보다 잘 나가지 않고 있고 만약 이대로 3월까지 집이 나가지 않는다면 어떻게 해야 할지 물어보기 위해서였다. 전화벨이 울리고 집주인 할머니가 전화를 받자 혜선은 스피커폰으로 바꾸어 지연이 들을 수 있도록 했다.

-다음 사람이 곧 나타날 거에요.

-만약에 다음 사람이 안 구해지면 어떻게 되는 건가요?

-아니 다음 사람이 곧 나타나요, 무조건 된다는 마음을 가져야 해.

지연은 황당하다는 듯이 숨을 짧게 뱉으며 말했다.

-그러니까 만약에 안 빠지면요? 벌써 한 달 반이 넘었는데 집을 보러 온 사람은 다섯 명밖에 없어요. 계약하고 싶다는 사람은 아예 없고요. 나머지 보름 동안에 다음 사람이 구해지지 않으면 어떻게 되는 거죠?

집주인 할머니도 스피커폰이었는지 핸드폰 너머로 처음 들어보는 사람의 목소리가 들렸다.

-아니, 그 집은 걱정이 없다니까 그러네, 왜 이렇게 부정적이야? 부정적이면 무슨 일을 하건 될 일도 안 돼요.

-우리는 다음 사람이 없으면 지금 당장 이억을 빼주지는 못해요. 그건 이해해줘야 해. 어떤 집주인이 이억을 현금으로 보관하다 돌려줘요. 아가씨들이 전세 계약이 처음이라 잘 몰라서 그런 거야.

혜선은 모든 상황이 뒤죽박죽이고 자신이 괜한 분란을 불러일으킨 것 같았다. 지연은 집주인에게 따져 말했다.

-계약은 3월까지인데 저희는 그때로 알고 집 구하겠습니다. 지금 친구가 청년 버팀목 대출을 받아야 하는데, 그러려면 3월에 꼭 나가야 해요.

-아니 집이 나가야 보증금을 빼줄 수 있지. 지금 상황은 좀 애매해.

결국 집주인에게 다음 사람을 구할 때까지 보증금을 줄 수 없다는 이야기만 듣고 전화를 끊었다.

-앞으로 어떻게 할지 찾아보자. 이렇게 말하실 줄 몰랐네.

혜선은 고개를 끄덕거리며 물었다.

-지연이 너는 3월에는 꼭 나가야 할 필요는 없는 거야?

-응, 나는 조금 늦어지는 건 괜찮아. 그래도 날짜가 확정돼야 다음 집을 구할 수 있을 텐데 당황스럽다. 마음에 들었던 집들도 이사 확정날짜를 말해주지 못해서 다 놓쳤거든.

한 시간 뒤 지연은 혜선에게 서랍을 조립할 때 같이 오는 매뉴얼 같이 숫자를 붙여 카톡을 보냈다.

1. 청년버팀목 전세자금대출의 신청요건이 소득기준이 대출시인지 작년기준인지 은행에 확인하기.

2. 허그 주택도시보증공사에서 빠른 시일 내에 상담 받기.

얼마 있다가 지연에게 다시 카톡이 왔다. 내용증명, 임차권 등기명령 같은 어려운 말들이 가득 있었고 바쁘면 이거라도 보라는 말과 함께 십분 정도의 유튜브 영상링크가 와 있었다. 혜선은 은행에 전화하고 연말정산이 끝나는 시점과 전세자금대출의 소득 상한 측정 시점은 아무 상관이 없다는 답변을 받았다. 그럼 3월 말에 꼭 나가지 않아도 되는 상황이었다. 지연은 혜선에게 그 이야기를 듣자 '그럼 그때 할머니한테 화낼 필요는 없었네, 미리 알아보고 정확하게 말했으면 좋았겠다. 그래도 그 얘기를 할머니한테는 하지 말자. 그 얘기를 하면 더 서두르지 않을 것 같아.'라고 차가운 표정으로 말했다.

혜선은 애니멀 호더에게서 구출한 강아지들을 생각했다. 열세 마리의 강아지를 데리고 애견 카페를 하다 코로나 여파로 폐업하자 오피스텔에 강아지들을 모두 몰아넣고 자신은 부모님 집으로 들어간 여자의 변명을 들으며 화가 치밀었다. 혜선은 원래 현장에서 직접 구출하는 역할을 맡고 있지 않지만 잡지의 이번 호가 애니멀 호더에 대한 이야기라 현장에 직접 가보고 싶다고 요청했다.

오피스텔에 들어가니 똥, 오줌 냄새와 함께 무언가 썩어가는 냄새가 났다. 개들은 오랜만에 느낀 인기척에 정신없이 뛰어다니며 혜선의 옷 구석구석을 축축한 입을 대며 탐색했다. 개들을 이동용 철장에 한 마리씩 분리하다 혜선은 시츄 한마리의 등이 고름으로 심하게 떠져 있는 것을 발견했다. 같이 일하는 행동가 한 분이 말했다.

-상처가 곪고 있는 것 같아요.

혜선이 자세히 살펴보니 하얀색 털에 어딘가에 긁힌 듯한 상처가 길게 나 있고 그 주변으로 하얀 구더기가 드글거렸다. 혜선은 속이 메슥거리고 눈앞이 하얗게 변하는 것을 느꼈다. 동료 활동가는 혹시 모를 상황에 대비해 가져온 핀셋으로 구더기들을 밀어냈다. 구더기가 떨어진 자리에는 붉은색 염증이 그대로 드러났다. 혜선이는 헛구역질을 참으며 동료가 건네 준 젓가락으로 털 사이로 꿈틀거리는 하얀 구더기를 골라냈다.

-저희가 이렇게 마음대로 처치를 해도 되는 걸까요?

동료는 혜선을 쳐다보지 않고 멍한 눈빛으로 구더기만 골라냈다. 그러면서 입으로는 무언가 중얼거리고 있었는데 혜선은 도무지 알아들을 수가 없었다. 침대 밑의 쓰레기 뭉치에서 발견된 작은 말티즈를 끝으로 강아지들은 모두 구조됐다.

혜선은 친구들과 만날 때마다 강아지의 몸에서 젓가락으로 구더기를 골라낸 이야기를 했다. 그리 듣기좋은 얘기도 아니었고 이미 여러 번 들은 친구들도 있지만 혜선은 계속 그때의 이야기를

하게 됐다. 처음에는 경악하며 혜선을 안쓰럽게 보던 친구들은 이
제는 고개만 끄덕일 뿐이었다. 혜선은 몇 년 전에 지연이가 육 년
을 사귀었던 남자친구와 헤어지고 계속 전 남자친구에 대한 이야
기를 하던 때를 떠올렸다. 둘은 안암의 냉면가게로 들어가던 중이
었다. 취직을 준비하던 지연이는 몹시 초췌한 얼굴이었다. 지연은
전 남자친구가 오이를 못 먹어서 냉면 시킬 때는 꼭 오이를 다 빼
달라고 말했었다고 혜선에게 말했다. 혜선은 그 이야기를 다섯 번
은 들었다. 지연은 오이, 벚꽃, 음료수, 음악 얘기를 할 때도 전 남
자친구 얘기를 했다. 테이블 건너편에서 지연이의 전 남자친구가
오이를 뺀 냉면을 함께 먹고 있는 것 같았다.

　-그 얘기는 했었잖아. 헤어졌으면 끝난 거지, 그 사람은 거기까
지야.

　지연이는 약간 멍한 얼굴로 대답했다.

　-맞아, 얘기했었지. 미안해.

　혜선이 상훈과 헤어졌을 때, 혜선은 지연에게 힘들다는 말을 하
지 못했다. 지연이 상훈을 좋아하지 않는다는 걸 알고 있었다. 혜
선은 자신이 지연에게 했던 고민상담 때문에 지연이 상훈을 미워
하는 것 같아 죄책감이 들었다. 삼 년의 시간을 다 설명할 수 없지
만 혜선은 상훈 덕에 해볼 수 있던 것들을 떠올렸다. 모든 비용을
반씩 부담하긴 했지만 호캉스도 가고 사치스러운 물건도 사보았
다. 지연에게 상훈이 생일선물로 명품 허리띠를 사달라고 말해 고
민이라고 이야기하면서도 자신이 상훈에게 그런 선물을 했을 때

돌아오는 비슷한 가격의 선물들에 마음이 동했다. 혜선은 친구들에게 자신은 그런 비싼 물건을 사고 싶지 않고 자신의 취향을 이해해주는 선물을 받고 싶다고 말했다. 그래도 섬세하게 만들어져 부담스럽지 않을 만큼의 광택이 은은하게 도는 하이힐을 신고 크림색 대리석 위를 걸을 때면 가슴이 간질거렸다. 방수 스프레이를 뿌린 운동화를 신고 눈이 많이 내린 골목길을 걸어 동물 구출 현장에 갔을 때도 가슴은 간질거렸지만 둘은 확실히 달랐다. 대학생이었을 때, 혜선은 인문학 학회에서 여성스러움을 강요하고 보이는 것만 중시하는 천박한 사회를 비판했다. 혜선은 겨드랑이털을 기른 채 민소매를 입고 다니겠다고 선언했던 시절을 떠올리며 자신이 이제 철이 든 것인지 아니면 언니들이 말하던 사회의 때가 묻은 것인지 알 수 없었다.

전세 계약일이 끝났지만 다음 사람은 구해지지 않았다. 혜선과 지연은 거실에 다시 모여 집주인 할머니에게 전화를 걸었다. 할머니는 노력하고 있다며 너무 재촉하지 말라고 말했다. 화를 내듯 말하는 할머니에게 지연이 가라앉은 목소리로 이야기했다. 그런 지연을 보며 혜선은 마음이 불편했다.

-저희는 임차권등기명령 신청할 예정입니다. 앞으로는 명의자인 아드님과 직접 소통하겠습니다.

전화를 끊고 혜선은 지연에게 물을 한잔 떠주며 말했다.

-나는 정 안되면 부모님 집에 들어가서 살면 돼. 너무 걱정하지

마.

지연이는 답답하다는 얼굴로 물도 마시지 않고 방으로 들어가며 말했다.

-너 내가 보내준 링크 읽기는 했어? 제발 전세금 못 받았는데 명의만 빼지 마.

혜선은 이렇게 화를 내는 지연이 이해가 가지 않았다. 어르신에게 단호하게 말하는 모습도 껄끄러웠다. 지난주에 집주인 할머니가 갑자기 집 앞에 찾아왔다고 전화를 했을 때도 전화로 혹시 집 주변이냐고 묻는 혜선의 말에 지연은 미리 약속을 잡아 방문하시라고 전해달라고 했다. 집주인 할머니는 다음 날 다시 오겠다고 말한 뒤 일요일 오전에 찾아왔다. 보증금에 대한 이야기는 없었다.

-집에 잠깐 칠을 좀 하려고요.

-네? 벽지를 칠하신다는 거예요?

할머니는 말을 흐렸다. 들어보니 집주인 할머니는 화장실 하수구 바닥을 빨간 매직으로 칠하고 싱크대 하수구에는 빨간 고무테이프를 발라두고 싶다는 말이었다.

-이렇게 해야 집이 빨리 나간대요. 내가 아는 법사님한테 배워온 방법이야.

혜선은 어이가 없었지만 잠자코 있었다. 지연은 또 건조한 얼굴로 말했다.

-집이 안 나가는 건 저번에도 말했던 것처럼 이 집의 공시지가가 내려가서 은행에서 대출을 받을 수 있는 금액이 줄어들어서 그

래요. 근데 보증금은 더 올리신다고 하니 당연히 들어올 사람 구하기가 힘들죠.

그러거나 말거나 할머니는 하수구에 빨간 테이프를 열심히 붙이고 있었다. 할머니가 돌아가시고 지연은 화장실 하수구에서 빨갛게 잉크가 배어 나오는 것을 가리키며 혜선에게 말했다.

-저게 우리를 저주하거나 이런 의미는 아니겠지? 왠지 으스스하네.

-그런 건 아니겠지 설마.

실랑이가 무색하게도 다음 세입자는 4월 말에 갑자기 구해졌다. 집주인 할머니가 보증금을 내려주어서 그런 건지 아니면 정말 빨간 매직과 테이프 덕분인지 혜선은 알 수 없었다. 다음 세입자는 결혼을 준비하고 있다는 앳된 얼굴의 부부였는데 집을 보러왔을 때, 테라스를 보고 고양이 밥을 두면 고양이가 오냐고 물었던 여자가 기억이 났다. 아마도 그럴 거라고 혜선은 대답했다. 처음에 저희도 화분을 열심히 키웠다고 지연이 덧붙였다. 두 부부는 공손히 인사를 하고 부암동 집을 떠났고 이후 계약을 하고 싶다는 문자를 보내왔다. 혜선은 두 사람이 곧 빈집에 들어와 가구를 채우고 밥을 해먹고 테라스에 고양이 밥을 주는 모습을 상상했다.

혜선과 지연은 함께 살기 전 부산여행을 떠났다. 지연은 여행계획표에 '물맞댐 여행'이라고 썼다.

-물맞댐은 물고기를 담아온 물에 어항물을 조금씩 섞어서 적응

하게 하는 거래. 새로운 물고기를 수조에 넣기 전에 서서히 물맞댐 해주어야, 물고기가 새로운 물이 주는 자극에 충격을 받아서 죽지 않는대.

계획표 속 사진에는 교복을 입은 두 사람이 책상에 나란히 앉아있는 모습이 찍혀있었다.

-이 못생긴 사진은 또 어디서 가져왔어.

혜선이 계획표를 가리키며 웃고 지연도 함께 웃었다. 둘은 부산에서 렌트를 하기로 했다. 둘 다 장롱면허였고 최근에 혜선이 지방에 갈 일이 있어 주말마다 운전연수를 받아 가까운 거리는 차로 다닐 수 있는 정도가 되었다. KTX를 타고 부산역에서 내려 렌트카 업체에 미리 예약해둔 차를 받아 숙소로 향했다. 혜선이는 렌트카를 처음 운전해보는 터라 긴장한 기색이 역력했다. 지연은 차에 올라 안전벨트를 착용하고 긴장한 혜선의 옆에서 덩달아 자세를 꼿꼿하게 세우고 앉아있었다. 혜선이 엑셀과 브레이크를 번갈아 밟으며 급제동할 때마다 지연은 속이 울렁거렸지만 곧 바다를 본다는 마음에 괴롭지 않았다.

지연이가 예약한 숙소는 11층에서 광안대교를 내려 볼 수 있는 곳이었다. 유리로 된 베란다 밖으로 광안대교가 쌍둥이처럼 손을 맞잡고 꽃찾기 놀이를 하자고 다가오는 것 같았다. 그날 저녁 둘은 민락 회센터에서 떠온 회와 부산에 오면 마셔야 한다는 대선 소주를 들고 숙소로 돌아왔다. 테라스 문을 여니 파도 소리와 함께 차고 짠 밤공기가 들어왔다. 지연은 테라스에 나가 숨을 힘껏 들이마셨다. 혜선이 숙소에 있던 소주잔을 물로 헹구며 말했다.

-우리 고등학교 때, 석유는 공룡 시체가 변해서 된 거라고 배웠잖아.

-그랬지, 석탄은 식물이고 석유는 공룡이 압력을 받아서 만들어지는 거 아니었나? 그거 시험에도 나왔던 것 같은데.

지연은 주방으로 들어가 소스를 담는 작은 종지에 와사비와 간장을 나누어 담았다.

-그랬었는데 이제 주류 학설이 바뀌었대. 공룡이 살던 시대에는 미생물이 존재해서 공룡 사체는 분해되어 버렸을 거라는 거야. 그래서 이제는 바닷속에 플랑크톤이나 해조류 사체가 바다 밑으로 가라앉아서 석유가 된 거라는 학설이 주류래. 심해에는 햇빛도 잘 안 들고 미생물이 살기도 어렵다나. 미생물이 없으면 분해되어 사라지지 않는대. 오랜 시간 퇴적된 사체가 압력과 열을 받으면 석유가 되는 거야.

-그 문제 때문에 대학에 떨어진 사람들이 모여서 이의제기해야 하는 거 아니야?

둘은 그런 이야기들을 밤새 주고받았다.

새벽에 일찍 잠에서 깬 혜선은 옆에 누운 지연의 숨소리를 들으며 모로 누워 바다를 바라봤다. 수평선을 타고 파도들이 제각기 다른 모습으로 몸을 일으켰다가 해안가에서 하얗게 부서지고 있었다. 지연의 숨소리가 파도처럼 차오르고 흩어지며 온 침대를 적셨다.

나의 다정한 에스프레소 바, 상왕제약

김혜정

에세이

김혜정

세상을 조금 더 따뜻하게 둘러보고
나를 더욱 더 깊숙하게 들여다보면서
적당한 말로 다정한 글을 쓰고 싶은 내향성 외향인

나의 다정한 에스프레소 바, 상왕제약

"여보, 지금 어디야?"

"어! 나 지금 어린이집 앞이야! 지금 가고 있어. 꽃 본다고 한참 수다 떨다가 지금 겨우 들어갔어."

"하, 빨리 와야지. 지금 손님들 몰릴 시간이잖아."

"응, 미안, 미안. 지금 가고 있어. 횡단보도야. 나 지금 전화 끊고 얼른 뛰어갈게."

나는 전화를 끊자마자 뛰기 시작했고, 숨이 턱 끝까지 차올라 헉헉거리며 뛰어 들어왔다. 이미 매장 안의 자리는 꽉 차 있었고, 키오스크와 연동된 주방 프린터에서 줄줄이 나온 빌지가 정리도 안 된 채 뒤엉켜 있었다. 남편은 굳은 얼굴로 그라인더에 원두를 넣어 갈고 있었다.

"나 뭐해야 해?"

미안한 마음에 숨을 제대로 고르지도 못하고 조심스럽게 물어보는 나에게 남편은 고개도 돌리지 않고 날카롭게 말했다.

"빌지를 확인해!"

서러운 마음이 복받쳐 허, 하고 짧은 탄식을 뱉었다.

에스프레소 바 상왕제약.

이곳은 나와 남편이 2년을 같이 운영하던 곳이다.

결혼 후 8년을 함께 운영하던 웨딩 영상 업체가 장기화한 코로나로 힘들어지면서 이 일을 어떻게든 계속할 것인지, 아니면 정리하고 다른 돌파구를 찾아야 할지 몇 날 며칠 함께 고민하던 어느 날, 남편이 말했다.

"여보, 카페나 차려줄까?"

"카페? 뜬금없이?

"왜, 좋잖아. 예쁜 카페 하나 차려놓고, 햇살 삭 들어오는 거기서 음악 틀어놓고 편집하고, 여유롭게."

"참나, 나도 꿈이 있거든? 흔히들 카페 차리는 게 꿈이라고 하는데 나는 어릴 때부터 그런 생각은 단 한 번도 해 본 적도 없어. 하고 싶으면 여보가 해. 커피 좋아하잖아."

남편은 발끈하는 내가 우스운지 빙긋 웃으며 말했다.

"여보 꿈이 뭔데?"

"나? 글 쓸 거야. 마흔 되기 전에 꼭 책 써야지."

아무런 대꾸도 하지 않고 짓궂게 웃으며 선심 쓰듯이 일부러

과하게 고개를 끄덕이는 남편에게 내가 못 할 것 같으냐고 따지듯이 물었지만, 누구보다 내가 더 잘 알고 있었다. 남편을 만난 후로 맞은 모든 연말연시에 수없이 힘주며 말만 해놓고 이루지는 않은, 그저 오래 묵은 식상한 허풍이라는 것을. 하지만 그건 몰랐다. 더 상세히 말하지는 않았지만, 남편이 내게 "카페"라는 단어를 내비쳤을 때 이미 그 머릿속에는 오랫동안 아주 구체적으로 쌓아온 계획이 차곡차곡 완성되어 가고 있었다는 것을 말이다.

남편은 매일 내게 맛있는 커피를 내려줬다. 언젠가 카페를 차려 맛있는 커피를 파는 일을 해보고 싶다고 말했던 것이 내가 책 쓰는 게 꿈이라고 떠벌리기만 했던 것과 비슷한 남편의 공수표라고만 생각했었는데 그게 아니었다.

"약은 사람마다 다 다르게, 그 사람에게 필요한 만큼 딱 조제하잖아. 나는 커피도 그렇게 하고 싶어. 감으로 하는 거 말고, 약처럼 정확하게 조제하는 거지. 그러니까 커피를 파는 제약회사인 거야. 상왕십리에 있는 제약회사. 상왕제약. 어때?"

남편의 말에 나는 머리가 아플 땐 커피를 마시면 싹 가신다면서 약보다 커피가 낫다던 친정엄마가 떠올랐다. 약으로는 치료 못 하는 많은 마음의 병을 안고 사는 사람들이 조용히 혼자, 혹은 소중한 사람과 맛있는 커피를 처방받아서 마시면서 치유하는 시간을 가질 수 있는 공간이면 좋겠다며 맞장구를 쳤다. 남편의 꿈이 현실로 한 걸음씩 걸어 나오는 동안 나도 모르게 내 마음속에서 남편의 카페는 우리의 카페가 되어 조금씩 커져갔다.

남편은 편집과 컨셉 영상을 촬영하던 사무실 겸 스튜디오를 개조하기 시작했다. 나무를 주문해 직접 테이블과 가구들을 만들어 배치하고, 괜찮은 커피머신을 사서 분해해 가며 매일 공부를 했다. 그리고 이런 외딴 골목에 손님들이 찾아오게 하려면 사람들이 어떤 것을 좋아하는지 알아야 했다. 때마침 바로 옆 골목에 있다 약수로 이전한 '리사르 커피'로부터 시작된 에스프레소 바의 인기 덕에 동네마다 에스프레소 바가 생기기 시작할 때였다. 그리고 2, 30대를 중심으로 에스프레소 잔인 데미타세 쌓기를 인증하는 유행이 점점 확산하고 있었다. 이른 아침, 바쁘게 설탕을 듬뿍 넣은 에스프레소를 마시고 하루를 시작하는 이탈리아의 에스프레소 바 문화에 반해버린 남편은 일반 카페가 아닌 '에스프레소 바'를 열어야겠다고 결심했다.

쌀쌀함이 감돌지만 한결 부드러워진 3월의 공기를 크게 들이마시며 골목을 걸어 올라갔다. 간판도 없는 에스프레소 바 문을 열고 들어가면서 구석에 앉아 있던 손님과 눈이 마주쳤다.

"어머 너무 오랜만이에요. 잘 지내셨죠?"

내게 먼저 인사를 건네는 손님의 나긋나긋한 목소리는 수줍게 하늘거렸다.

"그럼요. 잘 지내시죠? 전 여기 두 달 만에 왔네요. 저 이젠 손님이에요."

"저도 요즘 카페인이 안 받아서 오랜만에 왔어요. 안 계시니까,

너무 허전해요."

갑자기 눈시울이 뜨겁고 간질거렸다. 급히 고개를 숙이니 테이블엔 반쯤 남은 크루아상과 크레마 자욱이 동그랗게 남아있는 빈 에스프레소 잔이 보였다. 매일 회현에서 오시는 분. 분명[에스프레소 미디엄 설탕 적게]이었을 것이다.

얼른 마저 드시라는 인사를 하고 반대쪽 구석에 있는 스텐 테이블에 자리를 잡고 앉았다.

왼쪽엔 내 키보다 더 큰 거대하고 알록달록한 코끼리 그림 액자가 벽에 기대어 비스듬히 서 있다. 하얀 벽을 마주 보며 가방을 올려놓고 고개를 돌려 창가 쪽을 가만히 바라봤다.

풍성해진 봄 햇살이 통 유리창에 번지며 매장 안쪽까지 깊게 들어왔다. 노트북으로 문서를 열어놓고 한참을 응시하는 남자 손님, 서로 무릎을 붙이고 나란히 앉아 소곤소곤 이야기를 나누는 중년 부부, 고개를 갸우뚱 기울이고 왼손으로 귀를 받친 채 다이어리에 뭔가를 끼적이고 있는 여자 손님. 매일 보던 익숙한 풍경이지만 이젠 낯설어진 모습을 한참 응시했다.

얼마 지나지 않아 먹다 남은 크루아상을 포장해서 나가는 손님과 가볍게 눈인사를 주고받은 후 내 앞에 놓인 에스프레소 안에 들어있는 비정제 설탕을 여러 번 저어 한 모금을 마셨다.

따랑. 땅. 당당.

익숙한 문종 소리가 들렸다. 여자는 대충 걸친 패딩 속에 트레이닝복을 입고 생활용품을 잔뜩 구겨 넣은 다이소 비닐봉지를 들고 있었다. 키오스크를 한참 손가락으로 짚어보더니 큰소리로 묻는다.

"사장님, 에스프레소 그라니따는 이제 없나요?"

"네, 시즌 메뉴여서 지금은 판매하지 않고 있습니다."

남편은 원두를 소분하던 손을 멈추고 카운터 쪽으로 고개를 쭉 빼고선 미소는 띠었지만 담담하게 말하곤 다시 하던 일을 계속했다.

'어휴, 죄송하다는 말이라도 좀 하지….'

구석에 앉아 벽을 바라보던 내 몸은 이미 카운터 쪽으로 각도가 틀어져 있었다. 그걸 먹으려 애써 여기까지 왔는데 메뉴가 판매 중지됐다는 안내를 받은 손님이 얼마나 실망스러울지 생각하니 미안한 마음에 가슴이 두근거리고 귀가 후끈거렸다.

"정말요? 여름에 왔을 때 그거 너무 맛있어서 다시 오겠다고 약속했었거든요. 아 그, 여자 사장님은 안 계시네요?"

두리번거리는 손님과 혹시라도 눈이 마주칠까 봐 슬쩍 돌아보며 곁눈질하던 시선도 얼른 거두고 상체를 도로 숙여 다시 에스프레소 잔을 들었다.

'낯이 익긴 한데, 누구더라….'

선뜻 기억나지 않아 기억을 더듬고 있는 동안 손님은 주문한 콘판나를 빠르게 마시고 매장을 나갔다. 그때 알람이 울렸다. 띠링.

[happysysy00 님이 스토리에서 회원님을 언급했습니다.]

"언니! 왜 스토리 안 가져가?"

"스토리? 무슨 스토리?"

상왕제약을 오픈한 지 얼마 지나지 않은 날이었다. 나와 아홉 살 차이가 나는 여동생이 에스프레소를 마시고 나가던 길을 다시 돌아와 말했다. 동생은 블로그와 스마트 스토어를 통해서 쇼핑몰을 운영하고 있어 트렌드에 민감하고 SNS를 잘 활용하는 편이었다. 어리둥절해하는 내 표정이 우스웠는지 씩 웃더니 내 손에 있던 핸드폰을 가져갔다. 까만 화면을 타닥! 가볍게 터치해 화면을 열고 재차 목소리에 힘을 주며 핸드폰 화면을 짚어가며 설명했다.

"여기 봐봐 언니. 내가 에스프레소 사진으로 내 아이디에 스토리를 올렸잖아. 상왕제약 태그해서. 그게 언니 디엠으로 알람이 갔어. 맞지? 눌러서 아래에 보면 [스토리에 추가] 버튼 누르고, 화면 넘어가면 아래에 [내 스토리] 누르면, 응 눌러. 언니 아이디에 프로필 보면 알록달록한 테두리 생겼지? 이게 스토리를 가져간 거야. 그럼 다른 사람들이 이거 눌러서 보는 거야. 위로 쓱 올려서 보면 이 스토리를 누가 봤는지 아이디 리스트가 다 뜨고."

"하트를 안 눌러도 누가 이 스토리 확인했는지도 알 수 있다고? 근데 게시물로 올리면 되지 왜 이걸로 하는 거야?"

"요즘 트렌드야 이게 언니. 게시물로 올리는 것보다 글 없이 사진만 딱 올리면 되니까 속도도 빠르고. 요즘 업체들 간단한 공지도 이걸로 많이 올리고. 사람들도 그냥 일상 뭐 이런 것도 이걸로 거의 해. 아! 그리고 24시간 지나면 이건 사라져."

"24시간 지나면 사라져? 왜? 그럼 어떡해?"

"말 그대로 잠깐의 이야기야 그냥. 지나가는 기록 같은 거? 게시물은 좀 중요한 거 올리고, 잠깐 들르는 카페나 식당 같은 거 게시물로 올리면 약간 너무 진지한 느낌? 아무튼 그래 요즘은. 사라지는 거 싫으면 이거 아래 버튼에 [하이라이트에 추가]를 하면 폴더처럼 다 모아 놓을 수 있어서 스토리에선 사라져도 여기서 계속 볼 수 있어."

"와. 어렵다."

핸드폰에서 눈을 떼지 못한 채 작게 중얼거렸다. 동생이 만들어 준 노란색에서 핑크로 그라데이션 되는 알록달록한 동그란 테두리가 생긴 프로필 사진을 톡! 눌러봤다. 하얀 벽을 배경으로 짙은 크레마가 보이는 에스프레소 잔을 깔끔하게 찍어 올린 동생의 스토리 사진이 떴다. 에스프레소 바 상왕제약의 첫 스토리 후기였다.

그 후로 나는 상왕제약을 태그 해서 사진 후기를 올리는 손님들의 스토리를 모두 가져와 하이라이트에 모아 놨다. 하루에 두어 개, 많게는 열 개도 넘는 스토리가 공유되었고, 하이라이트에 모아 놓은 스토리는 수 천 개가 되었다.

그리고 나는 하루에 꼭 하나 이상의 게시물을 올렸다. 우리 커피와 디저트, 손님과의 에피소드, 그 속에서 느낀 것들 등을 솔직하게 풀어낸 글과 대화를 좋아하는 손님들이 늘어났다. 그렇게 우리의 이야기는 인스타그램을 통해 점점 많은 사람들에게 가서 닿는 듯했다.

에스프레소를 한 모금 마시고 내려놓은 후 오랜만에 인스타그램 어플을 열어 상왕제약으로 로그인을 했다. 오늘은 2024년 3월 4일. 내가 상왕제약에서 일하던 마지막 날인 작년 12월 31일 이후로 게시물은 업로드되지 않았다. 프로페셔널 대시보드에 [최근 30일 동안 계정 835개에 도달했습니다.]는 문구가 새삼 낯설었다. 한 때는 최근 한 달 동안 만개가 넘는 계정에 도달했다는 안내가 당연했던 적도 있었고, 인스타그램 계정에 많이 노출되고 스토리가 많이 올라오는 것이 우리 에스프레소 바의 실질적인 아웃풋이라고 생각했었다. 하지만 긴 겨울잠에서 아직 깨어나지 않은 것처럼 멈춰있는 적막한 인스타그램과는 달리 상왕제약 안에는 여전히 도란도란 커피를 마시는 손님으로 가득 차 있었다.

품절된 에스프레소 그라니따 대신 마시고 간 콘판나 사진에 '이사완료'라는 단어와 함께 상왕제약을 태그 해서 올린 스토리를 내 스토리로 가져왔고, 오랜만에 프로필에 알록달록한 테두리가 생겼다.

"아하하하하 진짜 웃겨."
"크하하하 뭐야~!"
톤이 다른 웃음소리가 뒤섞인 요란한 공기가 봄기운 가득한 골목을 따라 걸어 올라왔다.

이렇게 골목에서 밝고 높은 톤의 목소리가 들리면 거의 대부분 상왕제약을 찾아오는 손님들이었다. 이 골목의 길을 따라 올라

가면 낡은 갈색 알루미늄 새시와 빨간 벽돌이 촘촘히 박힌 오래된 다세대 주택들이 골목 저 끝까지 다닥다닥 모여 있다. 한 층만 새로 바꾼 하얀 창문 새시가 도드라지게 반짝이는 집이 많았고, 비둘기 똥 얼룩이 너무 심했던 외벽을 촌스러운 주황색 페인트로 덕지덕지 칠해놓은 집도 있었다. 부분적으로만 수리하고 정비한 흔적마저도 자연스러운 낡은 동네. 이 골목의 노인들은 집 앞에 다양한 크기의 고무통을 내놓고 온갖 꽃나무를 심어 물과 거름을 주고, 겨울엔 입던 옷을 꺼내 나무를 감싸둔다. 골목에 세 군데나 있었던 슈퍼집이 모두 없어진 후로는 모여서 이야기할 곳도 없어, 지나가다 화분의 흙을 갈고 있는 서로를 간섭하는 것이 가장 큰 이야깃거리인 곳이다.

길을 잘못 들어 다시 돌아나가는 사람은 있어도 일부러 찾아올 일은 없는 낡은 골목. 그 중간에 있는 에스프레소 바에 지나가던 사람이 우연히 들릴 확률은 거의 없는 것이 당연했다.

큰 웃음소리와 함께 에스프레소 바 문이 크게 한번 흔들리며 덜컹 열렸다. 이십대로 보이는 두 명의 여자 손님 중 긴 머리카락 사이사이 핑크색 브리지를 한 친구는 아이폰 카메라로 상왕제약의 입간판을 한 번, 뒷걸음질로 멀찍이 가서 또 한 번 사진을 찍더니 문까지 종종걸음으로 달려왔다. 문을 잡고 기다리는 다른 한 명의 팔짱을 끼고 자연스럽게 끌어당기며 한 손으로는 핸드폰을 들고 연신 사진을 찍어대며 매장 안으로 들어왔다.

"와. 대박! 드디어 왔어. 쑥스러운 콘판나 먹자! 여긴 이게 유명

하대. 너는? 너는 뭐 먹을 거야? 스트라바짜또? 카푸치노? 유자레
쏘도 맛있대. 시원하고. 너 설마 여기서도 아아는 아니지?"

"난 무조건 아아." 단호하게 고개를 휘저으니 단정하던 짧은 커
트머리 윗부분이 찰랑찰랑 흔들렸다. 둘은 찰나의 순간에 고개를
돌려 마주 보더니 취향을 잘 알고 있는 서로가 재미있는지 또 까
르르 웃으며 키오스크 화면을 보면서 주문을 이어갔다. 카드로 결
제를 한 후 자리에 앉기까지도 카운터의 자잘한 소품들과 매장 안
을 360도 둘러보며 모든 벽면의 사진을 찍었다.

입구에서부터 족히 스무 장은 넘게 찍은 갤러리 속 사진을 옆
으로 슥슥 넘기며 두 사람이 나누는 대화가 들려왔다. '여기 예전
엔 조제의뢰서가 있었대. 제약회사 컨셉이라 그랬나 봐. 너무 귀
엽지?' '응. 지금은 없어진 듯.' '쑥스러운 콘판나 이름 진짜 재밌지
않아?' '근데 여기 골목 은근히 분위기 있다' 두 사람의 들뜬 목소
리는 끊이지 않고 이어졌다.

남편이 스텐 쟁반을 들고 와 아메리카노와 쑥스러운 콘판나를
테이블에 올려주면서 '맛있게 드세요'하는 짧은 인사를 하고 다시
카운터 뒤쪽으로 돌아갔다.

쑥스러운 콘판나는 상왕제약이 오픈한 지 두 달 남짓 된 2년 전
3월, 매달 새로운 재료를 활용한 시즌 메뉴를 출시하자는 계획 하
에 출시한 상왕제약의 첫 시즌 메뉴였다.

본래 에스프레소를 뜨겁게 마시는 이탈리아에서 커피를 좀 더

시원하고 부드럽게 먹고 싶어 에스프레소에 찬 크림을 얹어서 만든 일종의 크림 커피, 크림을 뜻하는 이탈리아어 'panna'와 '~와 함께'라는 의미의 'con'이 합쳐진 게 바로 콘판나(con panna)다. 하얀 크림을 얹은 콘판나는 내가 가장 좋아한 에스프레소 메뉴였고, 여기에 조금 색다른 크림을 섞으면 어떨까? 하는 고민에서 시작해서 연구한 콘판나를 시즌 메뉴로 다양하게 출시했다.

봄날의 어린 참쑥을 말려 곱게 갈아낸 질 좋은 쑥가루를 넣고 진한 쑥크림을 만들어 갓 내린 뜨거운 에스프레소 위에 층층이 얹어서 만들어 낸 3월의 쑥스러운 콘판나. 4월 벚꽃이 날릴 때는 딸기 파우더가 들어간 연한 핑크색 크림을 얹고 벚꽃 쿠키를 부셔서 크림 위에 뿌린 벚꽃판나를 출시했다. 그리고 더운 날씨에 기력이 약해질 만한 초복부터 말복 기간에는 홍삼진액을 섞어 만든 갈색 홍삼크림과 홍삼비스킷을 얹은 기력회복 메뉴로 진생판나를 선보였다. 우리 두 사람 모두 커피에 관한 지식을 정해진 틀 안에서 배워보거나, 커피 업계에 종사해 본 적이 전혀 없기 때문에 원래 커피 메뉴는 이래야 한다는 정해진 선입견을 가지고 있지 않았다. 그래서 우리는 인류를 위해 새로운 천연 물질을 활용해 신약을 개발하는 연구원이 된 것처럼 사람들이 좋아할 만한 새로운 커피를 개발하는 연구를 계속해 나가는 것을 재미있게 즐겼다.

"으, 나 쑥 별로 안 좋아해. 남자들은 이거 국방색이라 나처럼 쑥 다 싫어할 걸?

"무슨 소리야. 쑥이 얼마나 맛있는데. 내 주변에는 오히려 쑥 좋아하는 할미 입맛 남자들 더 많던데."

"근데 이거 다 섞으니까 너무 이상해, 색깔이 꼭…."

"응, 그러네. 처음부터 섞으면 쓴맛끼리 충돌이 되는 것 같아. 어? 여보 이거 쑥크림이랑 크레마를 같이 곁들여서 떠먹는 맛이 조화가 너무 좋아! 먹어봐."

"음~ 훨씬 괜찮네!"

"이렇게 처음엔 반 정도는 곁들여서 떠먹고, 쑥크림 조금 남았을 때 에스프레소랑 섞어서 먹으니까 밑에 비정제 설탕 단맛이랑 또 어우러져서 딱 맛있는 비율이 되는 것 같아."

"응! 메뉴 나갈 때 손님들한테 이렇게 먹는 방법 꼭 설명해주자!"

"어? 근데 이거 크림 모양이 다르네?"

손님 테이블 위에 놓인 쑥스러운 콘판나는 에스프레소 위에 쑥크림이 올라가 있긴 하지만 문 앞에 크게 붙어있는 포스터의 모습처럼 층층이 쌓아 올린 소프트 아이스크림 같은 고깔모양의 쑥크림이 아니었다. 포스터를 배경으로 메뉴를 들고 앞뒤로 똑같은 모양의 사진을 찍어 올리려고 잔을 들었던 손님은 크림 모양이 다른 포스터와 잔을 번갈아 보더니 쑥스러운 콘판나를 테이블 위의 잔받침에 다시 내려놓고 찰칵, 하고 몇 장의 사진을 찍었다.

처음 메뉴가 만들어질 때 쑥스러운 콘판나는 에스프레소 위에 정량의 쑥크림이 올라갔다. 쑥크림을 부드럽게 흐르듯 잔 벽에 붙여 놓으며 자연스럽게 경사가 생기는 모양이었다. 하지만 인스타그램에 주로 올라오는 유명한 카페의 크림 커피들의 사진을 보면 풍성하고 화려한 크림을 강조했다. SNS로 사진 인증을 하기 위해 카페를 가는 사람들이 많아지면서 주로 그런 메뉴가 인기가 좋았다. 그런 사진들을 유심히 보던 나는 상왕제약의 후기에도 사람들에게 관심을 끌 만한 화려한 사진 리뷰가 올라왔으면 하는 욕심이 생겼다. 내가 올리는 쑥크림은 양이 점점 많아졌다. 그리고 크림을 쌓아 올릴 때 층마다 그 양을 줄이면서 고깔 모양을 완성하는 것에 집착하게 되었다. 예상한 대로 크림이 겹겹이 올라간 쑥스러운 콘판나 사진은 사람들을 자극했고, 카페 디저트를 전문으로 올리는 인스타 유명 인플루언서가 계정에 우리 쑥스러운 콘판나를 언급하면서 그 인기는 더 높아졌다. 그렇게 달라진 모양의 쑥스러운 콘판나의 사진을 다시 찍어서 큰 포스터로 걸어놨고, 남편은 유리잔 아래쪽에 크림을 잔뜩 남기고 간 잔이 늘어나는 것을 설거지하면서 늘 내게 걱정스럽게 말했다.

"모양도 중요하지만 크림을 그렇게 많이 담으면 에스프레소랑 조화가 안 맞아."

"일단 많이 주면 많이 먹고 싶은 사람은 많이 먹고 남기고 싶은 사람은 그럴 수도 있는 거지 무슨."

나는 남편의 귀에 박히기에는 작고, 안 들리기엔 조금 크게 볼멘소리를 중얼거렸다. 반납대 위에 빼곡하게 쌓인 쟁반 위의 컵과 받침을 모아 종류별로 차곡차곡 쌓아서 설거지를 하는 싱크대 옆에 놓았다. 이상하게 쟁반과 테이블이 맞닿는 소리가 더 크게 느껴졌다.

탁!

남편도 비슷하게 느꼈는지 고갯짓으로 슬쩍 나를 바라보더니 다시 설거지에 집중했다.

남편이 상왕제약을 혼자 운영하게 되면서 쑥크림도 직접 올리게 되니 쑥스러운 콘판나도 다시 처음의 모습으로 돌아간 것이다. 잔을 받아 든 손님들 쪽을 물끄러미 바라보니 쑥크림이 화려하진 않지만 에스프레소의 양과 비율이 맞아 안정적이고 단정해 보였다. 한잔 마시고 싶다는 생각을 하던 찰나, 사진을 다 찍은 손님이 스푼을 들고 쑥스러운 콘판나를 휘휘 젓기 시작했다.

'아 안 돼! 그냥 저으면 안 돼요. 곁들여서 떠먹다가…휴, 딱 봐도 처음 오신 분들인데 맛있게 먹는 법 꼭 설명하기로 해놓고 설명을 안 해주냐고 왜!'

남편이 가고자 하는 방식대로 에스프레소 바가 원래의 제자리를 찾아가는 모습이 보기 좋았지만 함께 운영하던 때와 많은 것이 달라지는 게 조금 걱정됐다. 사람들과 친근하게 조잘조잘 이야기하는 것을 어색해하는 것도 이해하지만, 손님들에게 설명해 주는 게 그렇게 어려운가? 하는 아쉬운 마음도 자꾸 불쑥불쑥 찾아왔다. 보고 있으면 괜히 마음만 어수선해지는 것 같아 다시 내 테이블 앞에 놓인 다이어리로 시선을 돌렸다. 빈 페이지에 '개요'라는 단어만 적어놓고 의미 없는 밑줄만 계속 그어댔다. 슥슥슥슥.

삭삭삭삭삭삭삭삭.

나는 카운터 안쪽에서 길쭉한 스테인리스 바트 가득 꽁꽁 얼어 있는 커피를 포크로 벅벅 긁고 있었다. 마치 거대한 함선이 바다를 가로지를 때 굵직하고 자글자글한 하얀 물보라를 일으키듯이 포크로 긁힌 곳은 하얀 선이 죽죽 그어졌다. 긁힌 표면은 서서히 녹아 포크가 닿을 때마다 조금 더 깊은 골이 파였다. 골이 깊어질수록 커피의 바다는 깊은 갈색으로 변했고, 그 양쪽으로 커피 얼음 알갱이들이 잘게 부서져 흩어지는 물방울처럼, 혹은 물에 젖어 바스러지는 모래알처럼 우두둑 떨어져 나와 쌓였다. 모두 긁어서 크고 작은 알갱이가 된 얼린 커피를 다시 편편하게 다독여 냉동실에 넣고 몇 시간을 얼린 후에 다시 또 이걸 꺼내서 긁어주는 걸 반복한다.

그라니따는 이탈리아 시칠리아섬에서 유래된 디저트다. 본래 과일에 설탕, 와인, 얼음을 넣고 얼리는데, 다시 또 얼리고 긁고 얼리는 과정 동안 다양한 크기의 얼음 결정체가 많이 생겨 그 모습이 마치 투영한 석영결정체가 박힌 반짝이는 화강암(granite)을 닮았다고 하여 붙여진 이름이다.

에스프레소 샷에 적절한 비율의 물과 비정제당을 섞어 살균을 한 뒤 얼려서 긁고 긁어 에스프레소 그라니따를 만든다. 이걸 작은 유리잔에 소복하게 퍼 담는다. 그 위엔 단단하고 쫄깃하게 친 동물

성 생크림을 올려주는데, 생크림은 눈이 소복하게 쌓인 트리처럼 보이도록 쌓아 올렸다. 뭐랄까, 더위에 지친 한여름에 설레는 작은 크리스마스트리를 만난 것 같은 시원하고 행복한 느낌을 주고 싶었다. 그런 마음이 통했을까. 많은 사람들이 더운 여름부터 날이 추워지고도 에스프레소 그라니따를 많이 찾았고, 매일 많은 양의 에스프레소 얼음 알갱이를 얼리고 긁기를 반복하면서 항상 팔이 얼얼하고 뻐근했다.

아!

갑자기 생각이 났다.

한참 더웠던 작년 여름, 혼자 들어와 에스프레소 그라니따를 먹고 조용히 반납대에 잔을 놓고 가려는 손님. 맛은 괜찮았는지 물어보니 상기된 표정으로 눈을 동그랗게 뜨고 정말 너무너무 맛있었어요, 하는 모습이 꼭 크리스마스 선물을 받은 어린아이처럼 사랑스러웠다.

"사실은 제가 몇 달 후에 이 근처로 이사를 오려고 집을 알아보고 있어요. 이곳저곳 많이 알아보다가 골목 분위기도 너무 좋고, 여기 커피도 너무 맛있어서, 꼭 이쪽으로 오고 싶어요. 이사 오게 되면 이거 꼭 다시 먹으러 올게요."

이렇게 말하더니 짝사랑하던 상대에게 작정하고 고백을 쏟아낸 수줍은 소녀처럼 어깨를 으쓱하며 뜨거운 햇살 속으로 후다닥 뛰어나갔다. 귀여운 고백을 받고 새어 나오는 미소를 감추지 못한 채, 저 손님 정말 여기로 이사를 올까? 잠깐 생각하며 골목을 내다

봤다.

우리가 에스프레소 바를 오픈하기 전 이 골목은 늘 어둑어둑
했다. 낡은 가로등 하나로는 채울 수 없는 오래 묵은 어두움을 골
목 초입에서 밝혀주던 동진슈퍼는 자녀들이 물려받으면서 GS25
로 바뀌었다. 골목은 조금 더 밝아졌지만 그마저도 얼마 가지 않았
다. 허물어져가던 빠우집(광택, 연마를 하던 집)이 흔적도 없이 사
라지더니, 동네에는 이 골목이 곧 대대적으로 재개발이 될 거라는
소문이 돌았다. 하루에도 몇 명이나 여긴 어떻게 돼요? 라고 물어
봤을 질문에 건물주가 이건 절대 안 판다고 했어, 라고 정색을 하
던 편의점 사장님은 얼마 후 대로변으로 GS25를 옮겨갔다. 그리
고 며칠 후 30년이 넘은 동진슈퍼 건물은 사라졌다.

빠우집이 없어지고 생긴 작은 공터엔 '하왕십리동 정비사업사
무실'이라는 간판이 걸린 조립식 사무실이 생겼다. 사무장이란 사
람은 사람들에게 서명란을 들이밀고 다녔다. 혹시 이 골목도 길 맞
은편처럼 번쩍번쩍하게 재개발이 돼서 자식들한테 한몫 쥐어줄
수 있지 않을까 하는 기대를 안은 사람들이 사무실을 들락거렸다.
주로 이 골목에 다세대 주택의 한두 층을 알음알음 수리해서 적은
월셋돈을 받아 생활비로 쓰는 노인들이었다.

남편이 이 골목에 불빛이 꺼지지 않게 하겠다고 다짐한 건 그
즈음부터였다. 수없이 많은 사람들이 물어보는, 왜 에스프레소 바
를 군이 여기에다 차렸어요? 라는 질문에 남편은 늘 별 대답을 하

지 않았다. 골목 상권 감성이 유행하니까 그걸 노렸네, 제2의 백종원 되겠네, 라고 실없이 툭툭 던지는 말에는 관심도 없었다.

남편은 이 골목에서 30년 가까이 살았다. 어릴 때부터 뛰어놀던 골목에서 자신의 딸이 뒤뚱뒤뚱 걸음마를 배우고, 태어나 처음으로 내리는 눈을 보며 놀라워하는 순간을 함께 했다. 비가 오면 전봇대 옆에 넓게 생기는 물웅덩이에서 신나게 발장구를 치며 옷이 다 젖도록 깔깔거리면서 좋아하는 모습을 사진으로 담고, 봄마다 화분에 함께 꽃을 심고 물을 줬다.

"저 아파트 봐봐. 몇십 년도 안 지나서 저렇게 구식이 될 것을. 나 어릴 때 다니던 천년 사찰을 허물고 그 위에 아파트를 지은 거야. 이게 말이 돼? 도대체 뭘 지키고 살아야 되는 거야?"

재개발비율이 가장 높다는 왕십리에 이런 골목은 이제 몇 군데 남지도 않았다. 누군가에게는 인생의 오랜 추억이 켜켜이 쌓인 소중한 골목이 그저 돈 때문에 무분별하게 밀어 없애도 되는 하찮은 고물 취급을 받는 것을 그냥 바라볼 수만은 없다는 생각이었다. 어린 시절 남편의 여덟 가족이 함께 살던 달동네의 거북바위 위의 집도 천년 된 안정사와 함께 힘없이 밀려 없어졌기 때문에. 그래서 더 큰 힘은 없지만 작은 가게 불빛 하나라도 먼저 밝혀 보자는 다짐이었다.

에스프레소 잔 바닥에 남은 비정제 설탕을 떠서 혓바닥에 올려놓고 녹여먹었다. 달달하게 커피에 절은 설탕의 까슬까슬한 단맛 때문인지 에스프레소 그라니따를 찾던 손님이 누구였더라, 하는 궁금증이 풀려서인지 기분이 한결 가벼워졌다. 손님으로는 처음 여기에 들어와 앉으면서 긴장했던 어깨가 부들부들하게 풀리는 것 같았다. 큰 숨을 한번 내쉬면서 다이어리를 덮었다. 깨끗이 비운 잔을 반납대에 놓으며 남편에게 이따 보자는 입모양으로 인사를 했고, 밖으로 나오니 조금 걷고 싶었다. 골목 저 뒤쪽 끝에서부터 내려와 뒷목을 타고 부서지는 햇살이 부드럽고 포근했다. 내딛는 걸음걸음이 춤을 추는 것처럼 경쾌하게 느껴졌다. 카페인의 영향이겠지. 상왕제약에 들렀다 나가는 손님들도 이런 기분이었을까.

친절하게 대하세요.
당신이 만나는 모든 사람이 힘든 싸움을 하고 있으니.
-플라톤

매번 행당동에서 커피를 마시러 온다는 손님은 잠깐 망설이다가 말을 꺼냈다.

"사장님, 사실은 제가 준비하던 시험이, 잘 안됐어요. 그래서 이제 취업 준비를 하려고… 그래서 커피 마시러 자주 못 올 수도 있어요. 그래도 시간 되면 꼭 올 거예요!"

꾹 참고 있던 말을 손에서 떨어뜨린 것처럼 갑자기 내 앞에 툭 내려놨다.

"아 정말요. 그러셨구나. 아마 시험공부를 했던 경험이 직장 생활에서 큰 도움이 될 거예요. 딱 맞는 직장에서 훨씬 더 잘될 거니까 미리 축하해요! 블로그 하시는 것 보면 엄청 꼼꼼하고 똑똑하셔서, 금방 취직하실 것 같아요. 어떤 곳에서 이런 인재를 알아볼지 정말 복 터졌네! 복 터졌어."

하얗고 맑은 피부에 선한 눈망울, 단발머리를 단정하게 묶고 종종 구석에서 조용히 머무르던 손님이다. 항상 느린 말투로 사장님 잘 먹었습니다,라고 공손한 인사를 하고 돌아갔다.

어느 날은 '사장님, 제가 블로그에 후기를 올렸는데, 사람들이 좋아요 많이 눌렀어요. 나중에 제 블로그가 좀 더 유명해지면 더 많은 사람이 제 글을 보고 상왕제약을 알게 되었으면 좋겠어요'라고 말하기도 했다. 말하기 전에 그 블로그 포스팅을 당연히 알고 있었다. 일과가 끝나면 남편과 포털에 '상왕제약'을 검색해서 어떤 리뷰가 올라오는지 모두 모니터링을 했다. 새로운 후기가 올라오면 실눈으로 눈을 반쯤 감고 두근거리는 가슴을 부여잡고 후기를 읽었다. 좋았다는 후기는 기분이 좋아 몇 번을 다시 읽기도 하고, 부정적인 후기를 읽으면 심장을 망치로 맞은 것 같은 상처를 받기도 했다. 그러니 특별히 애정을 듬뿍 담아 쓴 후기는 모를 수가 없었다. 이 손님은 초창기부터 상왕제약에서 맛본 모든 메뉴를 꼼꼼히 후기 글로 남겼다. 새로 변경되거나 추가되는 내용은 다시 수정을 거듭해서 상왕제약의 사용 설명서처럼 상세하게 완성해 가고 있었다. 글은 너무 사랑스럽고 다정했다. 조금 지칠 때마다 한 번

씩 들어가서 또 읽어보곤 했었다.

오래 준비하던 무언가를 끝내고 새로운 길을 찾아가기로 결심하는 순간이 얼마나 허무한지 알고 있다. 젊은 시절에 많은 것을 도전했다가 실패했고, 전혀 새로운 직업을 선택하면서 주변 사람들에게 설명하는 과정이 정말 괴로웠다. 사실 마흔이 넘은 나는 아직도 그러고 있다. 그래도 괜찮다고, 잘했다고 말해주고 싶었다. 우리가 후기로 위로를 받았던 것처럼 최선을 다해 응원을 보냈다. 손님이 아니라 아는 동생이었다면 팔을 길게 뻗어서 깊숙하게 폭 안아주고 싶었다. 여느 때처럼 예의 바르게 인사하고 문을 나서는 뒷모습을 마음으로 꼭 안아줬다.

나는 사람들이 상왕제약에서 무언가를 털어놓을 때가 좋았다.

수능을 앞두고 있던 고3 남학생은 시험 기간의 스트레스를 달콤한 콘판나 한 잔으로 풀곤 했는데, 어느샌가 멋진 대학생이 되어 옆 동네 카페에서 아르바이트를 하고 있다는 소식을 전했다. 주문 마감 시간이 다가올 때 늘 빠른 걸음으로 걸어 들어오시는 육십 대 젊은 할머니 손님도 있었다. 커피 한잔을 마시며 한 시간 정도 조용히 책을 읽고 나가셨는데, 치매 초기 증상이 있는 친정엄마를 돌보시다가 이 시간에 잠깐 바람을 쐬러 나오시는 거라며 맑게 웃으셨다. 늘 기분 좋은 농담을 주고받던 똑똑하고 넉살 좋은 인싸 대학생 손님은 군대 입대가 뜻대로 되지 않아 고민이 많았고, 아이의 유모차를 끌고 눈치를 보며 들어온 엄마들은 기어이 울면서 내리려고 발버둥치는 아이를 다독이면서 남은 커피를 한 번에 들이켜고 다급히 나가기가 일쑤였다.

베트남을 오가며 화장품 사업을 하는 두 파트너는 늘 열정 넘치는 대화를 주고받았다. 간혹 감정이 격해지기도 했지만, 늘 밝은 미래의 비전을 함께 공유하며 나에게까지 그 에너지가 전달됐다. 선인장 가죽이라는 생소한 소재로 디자인마저 유니크한 디자인의 가방을 제작하는 사장님은 처음엔 시크하게 혼자 앉아 있기만 했다. 그래서 처음엔 몰랐는데 털털하게 잘 웃는 성격이었고, 활발히 사업을 확장해서 남편과 함께 그 꿈을 완성해 가고 있었다.

혼자 와서 조용히 머물다가 엄마나 아빠, 혹은 자녀나 친구와 함께 다시 와서 함께 시간을 보내는 손님들은 혼자일 때와는 전혀 다른 따뜻한 모습에 나까지 마음이 훈훈해지고, 행복해졌다. 어떤 고민인지는 모르겠지만 혼자서 골똘하게 생각에 잠겨 있는 손님을 보면, 무슨 일이 있는 걸까, 나 혼자 고민에 빠져보기도 하고, 친한 친구와 마주 앉아 밀린 수다를 떨면서 쌓인 스트레스를 홀홀 털어내는 분들을 보면 덩달아 후련했다.

모든 모습이 나의 모습이었다.

어떤 진로를 선택해야 할지 고민하던 학생 때, 출근하기 전 카페에 들러 마음을 가다듬던 사회 초년생 시절. 임신하고 우울한 감정에 힘들어하던 나와, 육아에 찌든 채 아기 데리고 카페 갔다가 허둥지둥 정리하고 나가던 내 발걸음과 사람과의 관계에서 스트레스 받고 힘들어하던 때의 나의 고민들. 좋은데 가면 엄마랑 같이 오면 좋겠다고 생각하던 나와, 하던 사업이 힘들어졌을 때 대화보다 한숨이 많았던 우리, 사소한 걸로 다퉈서 어색하게 함께 카페에 들어와 앉았다가 은근슬쩍 아이 이야기하면서 화해하던 우리 부부의 모습도.

다 비슷한 나의 모습 그리고 우리의 모습이 매일의 상왕제약 속에 있었다. 그래서 손님들에게 더 다정하게 인사해 주고 싶었고, 어떤 이야기를 하고 싶어 하면 더 많이 들어주고 싶었다. 힘들었던 때의 내 감정들을 나 스스로 제대로 위로해 주지 못하면서 살아왔던 미안함과 아쉬움을, 비슷한 다른 감정들에 차곡차곡 갚아주고 싶었던 마음이었다.

꼭 말로 털어놓지 않아도 짧은 메모로, 낙서로, SNS 메시지로, 그뿐만 아니라 많은 경우 사람은 그저 침묵하는 방법으로 더 많이 털어놓기도 한다. 누구에게도 털어놓지 못한 마음을 어떤 방법으로든 털어내려고 용기를 내면 나는 기꺼이 기차에서 만난 이방인처럼, 에스프레소 바에서 만난 이방인이 되어 마음을 기울여 들어주고 싶었다.

봄 분위기 물씬 나는 음악을 들으며 골목을 빠져나와 건너편의 버거킹으로 향했다. 오랜만에 와퍼가 먹고 싶다고 한 남편과 나눠 먹을 점심 메뉴를 사러 매장으로 들어갔다. 자연스럽게 키오스크 앞으로 가서 할인 중인 불고기와퍼 1+1을 골라 익숙하게 카드로 결제했다. 분주한 주방에선 빨간 옷을 입은 직원들이 기계처럼 빠른 손을 일사불란하게 움직이고 있었다. 자리에 잠깐 앉을 틈도 없이 전광판엔 나의 주문 번호가 떴다.

"978번 손님 주문하신 와퍼 포장 나왔습니다."

"사장님, 저희 이렇게 주문할게요."

두 손님은 머리를 맞대고 고민하더니 조제 의뢰서에 에스프레소와 아포가토, 치즈 계란빵 2개, 스테이크까지 체크를 해서 내밀었다.

조제 의뢰서는 상왕제약의 주문서였다. 빳빳한 하얀 종이 뒤에 얇은 노란색 복사지 밑장이 겹친 32절 NCR지 맨 위엔 [조제 의뢰서]라는 큰 글씨가 쓰여 있다. 그 아래로 촘촘한 표 왼쪽으로 상왕제약의 메뉴가 줄줄이 적혀있고, 그 옆엔 금액이, 그 옆 칸엔 손님이 직접 쓸 수 있는 빈칸으로 수량, 비고란이 있다.

"죄송해요. 치즈 계란빵은 품절됐고, 미니 스테이크는 아직 출시가 안 됐어요. 곧 출시될 예정이에요."

카운터에는 [치즈 계란빵 품절]이라고 적힌 팻말이 세워져 있었다.

손님들은 조제 의뢰서를 직접 작성해서 주문하는 것을 재미있어했다. 특히 이십 대 젊은 여자 손님들은 많은 분들이 이걸 보고 너무 귀엽다고 외치곤 했다. 이미 병원도, 약국도 조제 내용을 프린트로 주고 있기 때문에 손님들이 구식이라고 느끼지 않을까 걱정했었는데 오히려 더 신기해하며 즐겼다. 그래서 인테리어나 잔, 포장 같은 것은 특별한 로고 하나 없이 심플했지만, 조제 의뢰서 하나만큼은 상왕제약의 컨셉에 잘 맞는 아이템이라고 자부했다. 주문할 메뉴를 펜으로 직접 체크하는 재미뿐 아니라 커피에 대해 원하는 내용을 적을 수 있었다. 예컨대 커피 연하게, 크림 많이, 설탕 적게 등 요구사항을 상세하게 적을 수도 있었고, 그렇게 적은 내용을 사진으로 남겨 SNS에 인증하기에도 좋았다. 간혹 조제 의뢰서에 커피 맛있어요, 라던가 상왕제약 파이팅, 같은 메모를 써서 남겨놓거나, 메뉴 옆에 귀여운 그림이나 코멘트를 달기도 했다. 간혹 자신의 이야기를 짧게 낙서로 적으며 쌓인 감정을 버려놓고 가는 손님들도 많았다.

손님들에게 주문받으면서 한 장은 손님에게 주고, 나머지 한 장은 카운터 위의 뾰족한 스테인리스 빌지 꽂이에 층층이 쌓아 모아뒀다. 처음엔 한 달이 지나도 꽉 차지 않던 빌지 꽂이는 손님들이 주문한 커피 이야기들로 나날이 빠르게 쌓여갔다. 한 주도 안 되어서 꽂을 자리가 없이 차오른 빌지 꽂이의 조제 의뢰서를 빼서 차곡차곡 모으고 있는 나를 보더니 남편은 말했다.

"조제 의뢰서 없앨 거야."

"뭐라고? 왜?"

손님들이 그렇게 좋아하고, 사람들과 편지를 주고받는 것처럼 설레며 이걸 모아놓고 있는 나로서는 갑자기 왜 없앤다는 것인지 도무지 이해할 수 없었다. 나는 잘 못 들은 게 아닐까 하는 의아한 표정으로 눈을 크게 뜨고 되물었다.

"조제의뢰서를 아예 없앤다는 말이야?"

"응, 품절된 것도 바로바로 반영이 안 돼서 손님들도 불편하게 생각하는 사람 많을 거야. 새로 출시하고 없어지는 시즌 메뉴도 많은데 항목마다 항상 수정해서 주문하려면 몇천 장씩 주문해야 하는데 그것도 너무 불편하고."

"아니, 여기 빈칸에 시즌 메뉴 적으면 되지. 그리고 품절 표시는 카운터에 해 놓고. 가끔 못 보는 사람도 있지만 어쩌다 그러는 건데 뭐. 내가 매번 잘 설명할게."

"바쁘면 설명 못 해서 주문 다시 받느라 시간 더 오래 걸리잖아. 메뉴 나가야 하는데 한창 크림이랑 세팅 준비하다가 여보가 직접 주문 받으러 왔다 갔다 해야 하고, 그거 너무 비효율적이야. 글씨 잘 못 봐서 주문 잘 못 들어온 것도 한두 번이 아니고."

"손님들이 조제 의뢰서를 얼마나 좋아하는데. 그리고 우리가 상왕제약이라는 이름으로 운영하면서 처음부터 잡은 핵심적인 컨셉인데 이걸 어떻게 없애. 그리고 어차피 조제 의뢰서 없어도 주문은 내가 받아야 하잖아. 그럼 더 바쁘지."

"키오스크 둘 거야."

"키오스크? 여기가 무슨 버거킹도 아니고, 이 작은 매장에? 이런 카페는 손님들이랑 이야기하면서 주문받고, 교감하는 게 얼마나 중요한데 키오스크라니 여보, 무슨 말이야."

"대화는 주문받을 때 말고 다른 때 해도 되잖아. 서빙할 때 해도 되고. 오히려 주문하는 시간에 대기하고 있지 않아도 되면 더 편하게 대화할 수 있어. 품절된 것, 새로 생긴 것도 바로 확인할 수 있으면 주문하는 시간도 줄일 수 있잖아. 기다리는 손님들도 빨리 주문할 수 있으니까 익숙해지면 편리해서 손님들도 오히려 좋아할 거야."

남편은 단호하게 말했다.

지금은 작은 카페나 식당에도 키오스크가 있는 곳이 많다. 심지어 각자의 테이블에서 태블릿이나 QR로 주문하는 방식을 사용하는 곳도 많이 늘어났다. 불과 2년 전이지만 그때만 해도 이런 분위기가 아니었다. 맥도날드나 롯데리아 같은 거대 패스트푸드 프랜차이즈 매장도 키오스크 주문 방식 때문에 연세가 있으신 손님들이 주문을 어려워한다는 부정적 뉴스가 쏟아져 나올 때였다.

이런 골목 감성의 작은 에스프레소 바에 어렵고 낯선 기계식 주문이라니. 항상 메뉴나 일상에 대해서 다정하게 이야기하면서 나와 손님들이 주고받던 온정이 담긴 우리의 조제 의뢰서를 없애겠다는 말이, 중학교 때 정성 들여 꾸미고 구구절절 한 페이지 가득 써서 교환하던 소중한 친구들과의 러브장과 주고받은 편지들을 학생 주임이 갑자기 모두 태워버리겠다고 선언하는 것 같았다. 삭막하게 키오스크로 주문하게 하면 자판기에서 커피 뽑아먹는 것과 뭐가 달라, 나는 손님들이 절대 받아들이지 못할 거로 생각했다.

남편은 늘 조금 다르게 생각하는 사람이었다. 현재보다 조금 멀리 보고 폭넓게 정보를 수집하고 취합해서 판단하는 능력이 뛰어난 편이고, 그런 모습을 무척 존경하는 것도 사실이다. 남편의 친구들은 이 새끼가 말하면 좀 재수는 없어도 나중에 시간 지나면 다 맞는 말이라서 뭐라 할 말이 없어, 라고 말한다. 생각지 못한 한 수, 가끔은 두 수 앞을 내다보기도 해서 나도 대부분의 선택과 중요한 결정은 남편의 말을 따르며 살아왔다. 하지만 이번에는 절대 양보할 수 없었다. 이건 손님들을 배신하는 일이고 상왕제약의 근본을 흔드는 일이야, 라고 강하게 확신했다.

남편도 포기하지 않았다. 두 달 가까이 은근슬쩍 키오스크의 종류를 설명하고, 어떤 식으로 배치해서 놓을지 그림을 그려 보여줬다. 남편은 일부러 키오스크가 사용되고 있는 다양한 매장을 데려가서 내게 주문하게 했다. 키오스크가 얼마나 편리하고 효율적인지, 가까운 미래에 얼마나 많은 분야에 폭넓게 보급될지를 매일, 틈만 나면 나에게 이야기했다. 나는 그럴수록 조제 의뢰서의 빠닥빠닥한 종이 질감과 꽃무늬 모나미 볼펜을 눌러서 써놓은 각기 다른 손님들의 글씨체가 더 소중하게 느껴졌다.

강력하게 주문 방식을 바꾸는 것이 필요하다고 생각하는 남편과 쉽사리 설득되지 않는 나 사이에 미묘하게 어색한 기류가 계속됐다. 팽팽하게 의견을 굽히지 않은 상태에서 하루종일 붙어서 일을 하다 보니 서로의 행동과 반응에 극도로 예민해졌다.

"여보, 이거 뚜껑은 이렇게 그냥 닫는 것보다 이런 식으로 고무링을 딱 맞게 끼우고 닫아야지. 그래야 온도 변화가 줄어서 크림 상태가 오래 유지 돼."

"지금 여기 먼저 정리해야 돼서 대충 닫아서 그래. 주의할게."

고무링을 꼼꼼히 끼워 뚜껑을 다시 닫아서 건네주는 크림 통을 받아 냉장고에 넣었다.

탁! 쿵!

크림 통을 내려놓고 냉장고 문을 닫는 소리가 매장에 울렸다. 남편의 표정이 미세하게 굳었고, 나도 굳이 옆에 다가가거나 다른 말을 이어가지 않았다. 서로 약간 감정이 좋지 않아도 우리는 커피 한잔할래? 하며 자연스럽게 풀리곤 했는데 이날은 둘 다 먼저 묻지 않았다.

나는 냉동실에서 스테인리스 바트를 꺼내 에스프레소 그라니따를 듬뿍 퍼 담았다. 요란하게 집어넣었던 크림 통을 다시 꺼내 단단하게 치고, 크게 한 숟갈을 떠서 그라니따 위에 올렸다. 작은 티스푼으로 거칠게 생크림을 휘저으니 그 아래 가득 차 있던 얼음 알갱이 몇 알이 바닥으로 후두두 떨어졌다. 위태롭게 올라가 있는 생크림 사이로 헤집어진 얼음 알갱이가 비집고 들어왔다. 연한 갈색으로 서서히 물들어 가는 새하얀 생크림을 한 숟갈 푹 퍼서 입에 넣었다. 차갑고 달콤하고 쌉싸름한 크림커피의 맛이 입안을 가득 채웠다.

내가 뭐 자기가 안 내려주면 커피 못 마실 줄 알아? 생각하면서 에스프레소 그라니따 한잔을 순식간에 비웠다. 새하얀 크림과 마구 뒤섞인 차가운 얼음 알갱이들이 식도를 타고 아래로 내려가지 않고, 위로 솟구쳐 지끈거리던 머리의 뜨거운 열기를 순식간에 식혀주는 것 같았다. 그때 눈에 보인 태국 과자 킹파워롤을 하나 집어서 우걱우걱 씹어 먹었다. 비행을 갔다 돌아오며 우리가 생각나서 사 왔다는 손님의 선물이었다.

상왕제약에 오는 손님들은 유난히 우리에게 이것저것 참 많이 챙겨주곤 했다. 이 동네 유명하다는 디저트, 주문하기 힘들다는 떡집의 떡, 맛있게 먹은 원두, 여행 가서 사 온 맛있는 간식, 직접 만든 김밥이나 도시락, 철마다 예쁜 꽃과 아이가 좋아할 만한 장난감이나 책 같은 것들을 다정하게 챙겨주는 마음이 매일 매일 넘쳐났다. 심지어 직접 출간한 시집과 책을 선물로 주는 경우도 있었고, 와인과 건강식품도 종종 들고 왔다. 크고 작은 선물을 주는 여러 손님의 마음을 모두 자세히 알 수는 없었다. 그저 따뜻하고 촉촉한 눈빛으로 그 설명을 대신하기도 하고, 어떤 분들은 이곳에서 마음의 평안을 찾았다는 편지를 함께 주기도 했다.

우리는 2천 원 혹은 3천 원의 커피를 파는 곳일 뿐이었고, 손님들은 그저 각자 자신의 소중한 시간을 여기 잠시 내려놓고, 스스로 필요한 답을 찾아 돌아가는 사람들이었다. 이곳이 대단한 것이 아니라 사소한 것에도 고맙다는 마음을 가지고, 그 마음을 전달하고자 하는 선한 성정을 가진 사람들이었다. 고마우면서도 과분한 선물들을 받기가 늘 미안하고 멋쩍었다.

"저 이거 드리려고 왔어요."

마감이 얼마 남지 않은 시간이었다. 오늘의 마지막 주문이겠구나 생각하며 콘판나 크림을 싹싹 긁어 올렸다. 그리고 주말로 다가온 할로윈 데이를 맞아 서비스로 함께 나눠 먹고 있던 캔디를 컵받침에 올리고 있던 찰나였다. 이미 아침에 커피를 마시고 간 단골손님이 문을 열고 들어왔다. 선선한 가을바람 한 뭉치가 함께 훅 들어왔다. 가끔 하루에 두 번 커피를 마시러 오기도 했지만, 이번엔 커피 마시러 온 게 아니라는 걸 보여주려는 듯 얼른 들고 있던 종이가방부터 내게 쑥 내밀었다.

"아이고, 또 뭘 가져오셨어요. 아유, 나 안 받을 거예요."

"별거 아니에요. 제가 상왕제약에서 커피 마실 수 있게 어린이집에 잘 가주는 꼬맹이한테 주는 선물이에요. 안 받으시면 저 이거 어디 다른 데 쓸 수가 없어요."

오픈 초기 상왕제약은 영업시간이 7시-4시인데, 엉뚱하게 8시 반부터 9시 반까지가 브레이크 타임이었다. 손님들은 기존의 카페들 영업시간과는 달라서 헷갈리거나, 왜 브레이크 타임이 있냐고 호통을 치기도 했다. 아이가 어린이집 가기 전에 엄마와 아빠가 같이 놀이터에서 적어도 삼십 분은 함께 놀아줘야 그나마 조금 순순히 들어갔기에 어쩔 수 없는 선택이었다. 오랜 고민 끝에 아이를 어린이집에 조금 일찍 보내고, 브레이크 타임을 없애보기로 했다. 적응 기간이 필요했지만 아이는 생각보다 잘 따라와 줬다. 그 후에는 오픈을 해 놓고 조금 한가한 짬에 내서 나 혼자 아이를 잠깐 데려다주고 오는 방식으로 유연하게 변경했다.

그런 과정을 속속들이 알고 있는 손님이 협조해 준 우리 딸에게 고맙다고 선물을 건네주고 간 것이다. 마감이 끝나고 어느 정도 정리를 하고 난 후 눈에 들어온 핑크 박스를 열어봤다.

상왕제약의 봄에게, 라는 문구와 함께 분홍색 생크림 위에 아이가 가장 좋아하는 캐릭터인 양 갈래 삐삐 머리를 한 콩순이 그림이 그려진 맞춤 주문한 레터링 케이크였다.

아, 케이크라니.

하루 종일 온 힘을 다해 꾹꾹 눌러 참아왔던 눈물이 폭풍처럼 쏟아졌다.

2022년 10월 25일. 이날은 내 첫째 아이의 생일이다. 살아있었다면 여섯 살 생일이었겠지. 세상에 없는 아이의 생일을 맞은 엄마는 케이크를 살 수도, 미역국을 끓일 수도 없었다. 매년 그날의 슬픔을 누구에게도 최대한 드러내지 않으면서 하루를 버텨내는 날이었다.

매장에서 흘러나오는 노래는 매일 흔히 듣는 팝송인데도 모든 선율이 한없이 구슬펐다. 가을 노래라 그런가 싶어 여름에 주로 틀었던 신나는 노래로 플레이리스트를 바꿔도 금방 다시 눈물이 차올랐다. 할 수 있는 건 손님들에게 더 밝게 인사하며 눈물을 누르는 것과 간간이 눈을 마주치는 남편과 그렁그렁한 서로의 눈을 향해 말 없는 위로를 건네는 것뿐이었다.

그 사정은 전혀 알지 못하는 손님이 이 예쁜 케이크를 주문 제작까지 해서 하필 이날, 우리 가족에게 잊지 못할 선물을 주다니. 나중에 왜 하필 그날 주셨는지 물어봤을 때도 그냥 손님이 일정

맞추기 편한 아무 날에 준 것이라고 답했다.

우연이라고 말하기엔 내가 알지 못하는 세상의 어떤 기운이 있는 게 확실했다. 수전 손잡이를 위로 끝까지 올려 물을 콸콸 틀어놓은 것처럼 분홍색 케이크를 앞에 두고 나는 한참을 엉엉 울었다.

그리고 다가온 그 주말, 할로윈 축제 기간에 세상에 절대 있어서는 안 될 끔찍한 참사가 이태원에서 벌어졌다. 가족을, 자식을, 친구를 잃은 수많은 사람의 비명과 그 아픔을 통감하는 사람들의 눈물로 세상은 어둠 속으로 하염없이 가라앉아 버렸다. 정부는 11월 5일까지 이태원 참사 추모 기간으로 지정한다는 발표를 했다.

남편은 검은색 데미타세 스무 세트를 퀵으로 주문해서 받았고, 포장지를 벗기고 먼지를 깨끗하게 씻어 말렸다. 추모 기간 에스프레소는 검은색 데미타세 잔에 제공되었다.

기간 동안 손님들은 딱히 어떤 말을 하진 않았지만, 조용히 검은색 잔에 담긴 에스프레소를 앞에 놓고 눈물을 닦거나 멍하게 앉아 있다가 자리를 떴다. 모두 모르는 누군가이지만 아픔을 당연히 함께 아파하는 다정한 마음을 가진 사람들이었다. 허망하게 떠난 이들을 위한 기도의 마음, 남은 이들을 위한 위로의 술 한 잔을 올리고 싶은 마음으로 우리는 함께 머물렀다.

우리는 알게 혹은 모르게, 늘 서로에게 위로를 주고받으며 살아가고 있었다.

그저 고마운 마음을 다정하게 표현했을 뿐인데 누군가의 보이지 않는 상처 가득한 마음을 부드럽게 만져주는 큰 위로가 되었을 수 있다. 그 후로 우리가 '케이크 엄마'라고 부르게 된 손님처럼.

그리고 또 한편으로는 위로를 받는지도 몰랐지만 어디선가 누군가가 나에게 따뜻한 위로의 마음을 보내주고 있기도 하다. 시간이 지나도 해결되지 않는 깊은 슬픔에도 어떤 에너지들 덕에 조금 더 버티고 살아 나갈 힘을 내는 유가족들처럼.

불고기 와퍼 두 개가 담긴 뜨끈한 종이봉투를 들고 횡단보도 앞에 섰다. 신호등이 초록 불로 바뀌었다. 바쁜 걸음으로 횡단보도를 걸어가는 사람들의 뒷모습을 바라봤다. 걸을 수 있는 한 최대한 천천히 걸었다. 아침에 아이를 데려다주고 오면서 숨도 쉬지 못하고 뛰어가던 때의 불안했던 마음이 가슴 저 끝부터 떠오르는 것 같아서 괜히 더 깊이 숨을 한번 들이마셨다.

멀리서 초록 불의 남은 신호가 3칸에서 2칸으로 넘어갈 때, 저 멀리서부터 안간힘을 쓰고 달려온 긴박한 순간, 다른 때 같았으면 멈춰서 다음 신호를 기다렸을 텐데 지체할 여유도 없이 빨리 달려가야 했다.

매장에 도착하면 빈 테이블 앞에 앉아 주문한 메뉴를 기다리는 손님들, 날이 서 있는 남편의 바쁜 손놀림, 어쩔 줄 몰라 하며 뛰어 들어가 숨을 고르지도 못한 채 빌지를 살핀다. 뒤죽박죽 순서가 뒤엉켜 몇 번 주문을 준비하고 있는지 물어보면 여지없이 차가운 대답이 돌아왔다. 주문이 몰릴 때 한순간의 지체 없이 바쁘게 돌아가야 하는 현장의 경험이 없던 나는 늘 긴장되어 있었고, 그래서 더 실수를 많이 했다.

"퍽!"

바닥에 떨어진 쟁반 위로 깨진 콘판나 잔, 아포가토의 젤라또, 뒤집어진 계란빵과 포크, 나이프가 에스프레소에 끈적끈적하게 뒤덮여 널브러졌다. 그런 나를 이해 못 하겠다는 듯 바라보는 남편에게 항상 주눅이 들어 있었다.

두 달 여의 긴 신경전 끝에 결국 키오스크가 설치되었고, 처음엔 낯설어하기도 했지만 편리하고 효율적인 운영 방식에 손님들도 잘 적응해 주었다. 나도 이것저것 하다가 일어나는 실수를 줄이면서 내 업무에 집중할 수 있었다. 그래서 오히려 손님들과의 대화가 더 편안해지고 능률도 올랐다. 일주일도 지나지 않아 키오스크를 도입한 남편의 선택이 옳았다고 인정하긴 했지만, 결국은 남편의 독단적인 결정이었다는 마음 한 조각이 남아있어서일까. 상황 제약을 위해서는 이렇게 하는 게 맞는 것 같다는 나의 의견에 남편은 항상 전혀 다른 방향으로 확고했다. 나 또한 무슨 오기였는지 포기하고 싶지 않아 항상 서로 팽팽하게 대립했다. 일상에서는 아니었지만, 업무적으로는 늘 단호하고 차가운 남편의 태도에 나날이 혼자 불만을 중얼거리던 날이 쌓여갔다.

일에 대한 대화를 시작하면 자꾸 언성이 높아지니 서로 어색하게 말을 하지 않는 시간도 늘어갔다. 무언가 어떻게 할지에 대한 이야기가 나오면 둘 다 예민해지다가 대충 얼버무렸다. 종종 목소리를 높여 싸우기도 했다. 부부가 같이 일하면 싸운다더라, 라는 말로는 위로가 되지 않는 마음속 골이 점점 더 깊어졌다.

상왕제약이 바빠질수록 아이는 혼자 일어나 혼자 놀고 있는 시간이 늘어났다. 집 안에 설치한 CCTV로 아이가 혼자 일어나 멍하게 앉아 있는 것을 보면서도 매장에 손님이 많아 10초 거리의 집에도 바로 달려가지 못했다. 정신없이 준비시켜 겨우 데리고 간 어린이집 앞에선 가지 않겠다고 울면서 내 손을 붙잡는 애를 억지로 선생님 팔에 안겨주고는 저린 마음으로 되돌아서 달리곤 했다. 아무리 빨리 달리려고 해 봐도 500m도 안 되는 거리는 결승선이 보이지 않는 트랙을 달리는 기분이었다.

하, 내가 지금 대체 뭘 하는 거야, 라고 한숨을 섞어 중얼거리며 에스프레소 그라니따를 퍼먹는 횟수도 많아졌다. 크림을 섞은 달콤한 에스프레소 얼음 알갱이는 나의 유일한 낙이 되어가고 있었다.

"사장님, 에스프레소 그라니따가 이렇게 맛있는 거였어요?"

여름 동안 매일 오렌지 라테와 오미자 에이드, 콘판나와 쑥스러운 콘판나, 생크림 크루아상, 샌드위치 등 다양한 메뉴들을 돌아가며 맛보던 손님이었다. 뒤늦게 먹어 본 에스프레소 그라니따에 놀라움을 감추지 못하고 물어봤다. 원래도 큰 눈이 더 커진 것을 보니 진심으로 맛이 있었나보다 싶어 흐뭇한 마음이 차올랐다.

"저도 요즘에 거의 매일 한 번씩 먹어요. 너무 맛있죠? 이게 특히 마니아 손님들이 많아요!"

손님들이 에스프레소 그라니따가 맛있다고 할 때마다 나는 기분이 너무 좋았다. 남편이 커피를 내려주지 않아도 혼자 퍼서 먹을 수 있었던 것처럼, 주문이 들어왔을 때 남편이 에스프레소 샷을 내려주지 않아도 내가 혼자서 내 줄 수 있는 유일한 커피 메뉴였기 때문이다. 나 혼자서 따로 매장을 내서 에스프레소 그라니따에 다양한 크림을 올린 메뉴를 만들어 판매해도 되겠다고 혼자서 생각하기도 했었다.

"그라니따 가을부턴 안 할 거야. 샷 뽑고, 끓여서 살균하고 얼리고 긁고 반복하는 작업량에 비해서 너무 마진도 안 나오고."

남편의 말을 듣는 순간 짜증이 확 밀려왔다. 왜 내가 좋다고 하는 건 다 없애려는 거야? 라는 생각까지 하기에 이르렀다.

"긁는 건 어차피 내가 하잖아. 살균하는 거 손 많이 가면 그것도 내가 할게. 그거 방법만 알려줘."

하기 힘들면 내가 할게, 말하면서 나는 순간 머리를 띵하고 맞은 것처럼 깨달았다.

물론 나도 에스프레소 샷을 내릴 수는 있었다. 순서에 따라 에스프레소를 추출하는 것이 엄청나게 복잡한 작업은 아니다. 하지만 남편의 커피는 달랐다. 에스프레소 샷을 내릴 때 하루 사이에도 변하는 습도와 온도에 따라서, 원두의 상태에 따라서 탬핑 정도나 추출 시간을 섬세하게 조정해서 일정한 맛을 내기 위해 심혈을 기울인다. 커피 맛에 사소하게라도 영향을 줄 수 있는 것들은 모두 결벽에 가까울 정도로 차단했다. 갈아놓은 원두가 상온에 노출되어 보관될 수밖에 없는 구조의 그라인더는 비싼 돈을 주고 사놓고도 창고에 박아놓은 채 일절 쓰지 않았다. 머신 안에서 산패되는 원두 가루 한 올이라도 남기지 않으려고 매일 머신을 분해해서 깨끗하게 청소를 했다. 그렇게 예민하고 철저하게 지켜내는 에스프레소 맛이 일정했기 때문에 에스프레소 그라니따도 늘 같은 맛을 낼 수 있었다.

남편이 손대지 않아도 내가 해서 나갈 수 있는 유일한 메뉴라고 생각했던 에스프레소 그라니따 마저 나 혼자 할 수 없는 일이었다.

"이번 여름에도 그라니따 작년만큼 안 나갔잖아. 얼려놓은 거 오래 두면 컨디션도 달라져서 맛도 없어지고. 처음 시작할 때는 이거 하는 데가 우리밖에 없었지만, 지금은 다른 곳도 많이 하니까 손님들 입장에서도 꼭 여기서 먹을 필요도 없는 거고. 많이 안 나가는 게 당연하지. 어차피 처음부터 여름 시즌 메뉴였잖아. 이번 여름까지만 하고 없애는 게 맞을 것 같아. 다음 여름엔 또 다른 메뉴로 개발해서 내자."

대답을 하려고 입을 열면 쌓인 불만이 폭발할 것 같아 입술을 지그시 포개서 입을 다물었다. 남편의 말은 이번에도 옳았다. 모든 메뉴에 있어 이윤을 최대한 줄여서 저렴하게 판매하고 있기 때문에 판매될수록 손해가 나는 메뉴들을 정리하거나 가격을 올려야 했다. 하지만 기존에 우리의 평균 가격, 그리고 손님들이 생각하는 가격의 상한선이 있다 보니 가격을 조정하는 것은 더 어려운 일이었다.

결국 에스프레소 그라니따가 여름을 끝으로 판매 중지된다는 공지를 인스타그램에 올리면서 생각했다. 인스타그램을 통해 외부로 보여주는 정체성을 나의 방식과 나의 말투로 채워갔기 때문에 내가 잘못 생각하고 있었구나. 우리의 이야기라고 생각했던 공간, 나아가 내 것이라고 착각해 온 에스프레소 바 상왕제약은 사실 오롯이 남편의 꿈이었다.

2년을 함께 운영하면서 나는 커피에 대해서 공부를 하지도 않았고, 운영 측면에서도 더 좋은 방향성에 대해서 크게 고민하지도 않았다. 그냥 어떤 것들이 많은 사람을 모을 수 있을까만 생각했고, 손님들과 나누는 시간이 좋았을 뿐이다.

그 단순한 관점에서 내는 많은 의견들은 주로 요즘 인기 많은 메뉴를 출시한다거나 깜짝 이벤트를 하자는 등의 단편적이고 충동적인 것들이었다. 간절하게 매장을 오랫동안 잘 운영해 나가고 싶어 하는 남편에게는 철없는 감성에 젖어 생떼를 쓰는 것처럼 보일 수밖에 없었을 것이다.

결국 나는 상왕제약에서 커피를 판매한 게 아니었다. 손님들과의 관계를 통해 내가 써나간 이야기를 판매하고 있었다. 남편은 커피를 사랑하기 시작하면서 20년을 그래왔던 것처럼 늘 커피에 대해서 고민했고, 진지하게 공부하고, 더 좋게 나아갈 지점에 대해서 생각했다. 그리고 이 에스프레소 바를 어떻게 운영해 나갈 것인지에 대한 현실적인 해결책을 늘 마련해 나가고 있었다. 가장 가까운 조력자라고 생각했지만 전혀 다른 무기를 들고 나대는 '나'라는 강력한 빌런과의 매번 치열한 혈투를 뚫고서.

화려한 생크림으로 사람들이 좋아할 만한 모양을 만드는 것에 집중했던 나와, 변함없이 깊은 맛을 내는 에스프레소를 내리는 것에 마음을 다했던 남편이 잘 어우러졌다면 맛있는 에스프레소 그라니따처럼 훌륭한 조화를 이루는 파트너가 되었을 것이다. 하지만 크게 쌓아 올린 생크림이 너무 많아 아무리 퍼내도 에스프레소 그라니따가 묻혀서 보이지 않는 것처럼 되어버린 지금은 분명 정상이 아니었다. 상왕제약의 본질보다 내가 원하는 그림만 그리고 싶었던 내가 그 균형을 망치고 있었다.

그제야 나는 마음을 가다듬을 수 있었다.

상왕제약이 근본적인 하나의 방향성을 유지해 가면서 남편이 가진 커피에 대한 꿈을 실현해 나갈 수 있으려면 내가 이 자리를 떠나야 한다. 그리고 나도 내가 좋아하고 잘할 수 있는 것을 하자.

골목을 따라 상왕제약 앞까지 다시 걸어왔다.

[영업시간 : AM8:00- AM11:00/ 매장 이용은 12시까지 가능합니다]

시간은 막 12시가 넘어가고 있었고, 사람이 없는 매장 안은 음악 소리만 가득 차 있었다.

영업시간은 하루 3시간, 오전 열한 시면 주문이 마감된다. 오픈할 때부터 지금까지 영업시간이 평범하지 않다. 하지만 그 짧은 시간 동안에도 많은 손님들이 에스프레소와 갓 구운 빵을 즐기고 떠났다. 그 흔적들이 반납대에 빼곡하게 쌓여 있었고, 정리를 하던 남편은 들어오는 나를 보고 빙긋 웃으며 손을 멈췄다.

"커피 뭐 줄까?"

"간만에 쑥스러운 콘판나 한 잔 먹어볼까? 크림 적당히요."

웃으며 고개를 끄덕이며 안으로 들어간 남편이 원두를 가는 소리가 윙, 하고 들렸다

남편과 내가 처음 상왕제약을 시작할 때, 우리는 여기 오는 손님들의 마음에 필요한 치료 약 같은 커피를 처방해 줄 수 있기를 바랐다. 각자가 가진 다른 문제와 아픔과 슬픔, 혹은 기쁨과 설렘, 축하받고 싶은 마음…그에 딱 맞는 에스프레소를 조제해 주고 싶다고 생각했다. 그런데 지나고 보니 그건 우리가 해 줄 수 있는 일이 아니었다. 누구든 상왕제약에서는 진짜 자신이 좋아하는 커피를 선택했고, 필요한 답을 찾아서 돌아갔다. 그래서일까, 나도 이곳에서 나에게 가장 필요한 것을 스스로 처방받아 나올 수 있게 되었다.

남편과 마주 볼 수 있는 큰 테이블에 앉아 다시 다이어리를 꺼내서 펼쳤다. 커피를 기다리는 동안 의미 없이 줄이 그어진 '개요'라는 단어 아래에 또박또박 적었다.

[제목: 나의 다정한 에스프레소 바, 상왕제약]

푸른 물결 너머로

김희진

소설

김
희
진

영화를 전공하며 스토리텔링 예술에 대한 꿈을 키워왔다. 영화로 만들 만한 이야기를 써보겠다고 다짐한 후 번역, 매거진 취재 및 에디팅, 콘텐츠 기획 등 이런저런 일들을 해왔다. 다양한 사람들을 만나 이야기를 들어보고 콘텐츠를 고민해온 모든 경험이 좋은 이야기를 만드는 양분이 되어줄 것으로 기대하고 있다.

푸른 물결 너머로

코를 잡고 부드럽게 풀 듯이 '흥'하고 공기를 넣어줍니다. 이렇게 이퀄라이징을 하지 않고 계속 하강하면 수압 때문에 고막이 파열될 수도 있어요. 이퀄라이징이 잘 안 돼서 귀가 아프면 조금 위로 올라와서 될 때까지 다시 시도해봅니다. 수심이 깊어지면 BCD의 공기도 압축되기 때문에 하강 속도가 빨라집니다. 그럴 때는 BCD에 공기를 넣어주면서 빨리 가라앉지 않도록 부력을 조절합니다. 자신을 풍선이라고 생각하면 쉬워요. 너무 가라앉지도 않고 너무 뜨지도 않는 적절한 공기량을 찾는 겁니다.

짙푸른 물속으로 내려가면서 스쿠버 다이빙 강사가 했던 말들을 떠올렸다. 그런데 BCD가 뭐더라? 아, 내가 입고 있는 자켓. 공기통에 연결된 이 자켓에 공기를 넣었다가 빼면서 공기량을 조절한다고 했다. 공기를 빼는 버튼과 주입하는 버튼이 헷갈린다. 공기통 체결은 제대로 되어 있을까? 뭐가 이렇게 세세하게 챙길 것들이 많은지, 바닷속 풍경을 오롯이 즐길 날이 과연 오기는 올까? 다이빙 수트를 입고 있었지만 바닷물의 한기가 피부에 스며들었다. 등 뒤에 엎은 공기통의 존재감이 묵직했다.

바다 속 수심 5미터까지 들어왔는데 풍경이 보이고 숨이 쉬어진다는 사실은 놀랍다. 평소 물놀이를 즐기는 편이 아니었다. 고작 수영장이나 계곡에서 발목을 담그거나 발끝으로 물을 튀기는 정도로 즐겨봤을 뿐이다. 물놀이를 즐기기 위해 앞뒤로 거쳐야 하는 절차가 번거롭고, 금방 축축해지는 수건도 불쾌하고, 물놀이 후에 맨발이나 젖은 슬리퍼로 샤워실까지 이동하는 과정도 찝찝하다. 무엇보다도 물에 축축하게 젖어서 찬 공기에 덜덜 떠는 모습이 볼품없고 우아하지 못하다고 생각했다. 그럼에도 나는 지금 꾸역꾸역 장비를 지고 내려와 이렇게 수면 아래에서 호흡을 하며 움직이고 있다. 어쩐지 비현실적이다.

뭔가가 어깨를 툭툭 건드렸다. 돌아보니 정우가 마스크 안으로 내 눈을 들여다보고 있었다. 검지손가락으로 나를 가리키더니 오케이 표시를 해보였다. 내 상태가 괜찮은지 묻는 것 같았다. 나는 엄지와 검지로 오케이 표시를 만들어 응답했다. 그녀는 고개를 끄덕이더니 몸을 돌려 살랑살랑 오리발을 흔들며 앞으로 물살을 따라 나아갔다. 따라오라고 하는 것 같았다. 나도 천천히 발을 움직이며 앞으로 나아갔다. 정우도 나와 같은 초보자인데 물속이 한결 편해 보였다. 그녀의 SNS 계정에서 스노클링을 즐기는 수중 사진을 본 기억이 났다.

나와 정우는 제주 서귀포의 어느 바다에서 스쿠버 다이빙 세션을 진행 중이었다. 우리는 스쿠버 다이빙 자격증을 따러 왔다. 물을 좋아하지도 않고 바닷속 세상에도 관심 가져본 적 없는 나는 정우의 제안이 아니었더라면 아마도 평생 다이빙을 해볼 일이 없었을 것이다. 등산도 있고, 자전거도 있고, 수영도 있는데, 왜 스쿠버 다이빙이었을까. 이렇게 번거로운 일인 줄 알았다면 나는 온갖 핑계를 대서라도 빠져나왔을까? 대답은 '글쎄'다. 나는 스쿠버 다이빙이 이렇게 번거롭고 체력이 소모되는 일이라는 사실을 알고 있었어도 정우의 제안을 거절하지 못했을 것이다.

제주에 도착한 후 한번 물어보긴 했다.

"스쿠버 다이빙은 왜 하기로 한 거야?"

솔직히 물어보고 싶었던 것은 '왜 같이 오자고 했어?'였지만, 오랜만에 만나 아직 어색함이 가시지 않은 상태에서 물어볼 용기는 없었다. 그녀는 '그냥 시간이 생겨서'라고 대답했다. 15년 만에 다시 만났을 때도 '오랜만이야, 잘 지냈지'와 같은 상투적인 인사말은 나눴지만 그동안 서로 생각을 많이 했다든지, 어떻게 지냈는지 궁금하다든지 등 그간의 안부를 묻는 일은 없었다. 자세한 것을 물어봤다가는 민감한 옛날 기억을 건드릴까 봐 서로 조심했을 것이다.

우리가 세상에서 제일 가까운 친구였던 고등학생 시절, 나는 정우를 많이 동경했다. 정우는 첫 인상은 다소 차가웠으나 말 한마디와 행동 하나하나에 자신만의 견고한 소신을 담고 있었다. 개인주의에 독립적인 성향, 투박한 말투와 표정 뒤에는 항상 가까운 친구를 지켜주고 보호하려는 책임감이 자리하고 있었다. 아직 철 들지 않은 나의 시선으로 바라본 그녀는 성숙하고 매력적이었다. 가까워지고 싶었고 닮고 싶었다.

한편 그녀는 나를 자주 주눅 들게 하기도 했다. 그녀는 그저 질문을 던지거나 제안을 했을 뿐인데 나는 방어적으로 대답하거나 제안에 대해 깊이 생각해보지 않은 채 동의하곤 했다. 곰곰이 생각해보면 정우는 무엇을 강요하거나 추궁한 적이 없다. 그런데 나는 그녀에게 다른 제안이나 의견을 표현해볼 용기가 나지 않았다. 내가 꺼내는 말 한 마디, 행동 하나하나가 그녀에게 심사를 당하는 기분이었다. 나를 분석하고 있는 것만 같은, 내 눈을 똑바로 바라보는 그 시선을 빨리 거두게 하기 위해 나는 어떻게든 대화를 끝내곤 했다. 정우를 떠올리면 나의 가장 부끄러운 내면을 간파당하고 있는 느낌이 끈질기게 따라붙었다. 나는 내 속마음이 완전히 간파당하기 전에 정우의 말이나 제안에 동의하며 화제를 바꿔버렸다. 그로부터 약 15년이 지나 서른두 살이 되었는데도 함께 스쿠버 자격증을 따러 가지 않겠느냐는 제안에 깊이 생각하지 않고 그러자고 하고 말았다.

탁한 바닷물이 뿌연 장막처럼 나를 둘러싸고 있었다. 팔만 뻗으면 닿을 것 같은 정우의 뒷모습이 금세 시야에서 사라져 버릴 것만 같았다. 바짝 따라붙지 않으면 수중 미아가 될지도 모른다는 생각에 열심히 발장구를 쳤다. 쉬지 않고 다리를 허우적거리는 것에 비해 추진력이 썩 좋지 않았다. 정우와 그 앞에서 리드하는 강사는 물살에 흐르듯이 유유하게 물살을 헤쳐나갔다. 서늘하게 퍼런 물속으로 두 사람의 실루엣이 뿌옇게 멀어져갔다. 호흡기 사이로 쉭쉭거리는 내 숨소리만 적막하게 울려 퍼졌다.

우리의 역사는 15년 전으로 거슬러 올라간다.

10대의 나는 영화와 소설을 참 좋아했다. 특히 인물과 스토리를 입체적으로 빚어낸 영화는 강력하게 몰입할 수 있어서 더욱 선호했다. 장르는 딱히 가리지 않았지만 몸 개그가 난무한 슬랩스틱이나 얄팍한 스토리에 개그 요소만 잔뜩 넣은 코미디 영화만은 도저히 즐길 수가 없었다. <러브레터>처럼 잔잔하고 감정이 절제된 한편 인물들의 서사가 아름답게 묘사된 일본 영화 특유의 스타일을 좋아했다. 단발머리의 여배우가 털털한 매력의 캐릭터와 청순하고 여린 감수성의 캐릭터를 오가며 1인 2역을 했는데, 한 배우 안에 들어있는 이중성이 굉장히 매력적으로 느껴졌다. <바람과 함께 사라지다>와 같은 고전도 좋아했다. 격동하는 시대에 이끌려 자신 안에 내재된 강인함을 이끌어내는 여주인공의 성장이 감명 깊었다.

마침 고등학교를 입학하고 한 달쯤 지나자 각종 동아리의 선배들이 1학년 신입부원을 모집하는 데 여념이 없었다. 나는 조금도 망설이지 않고 영화 감상 동아리에 가입 신청서를 냈다. 하지만 이

때부터 사회의 본격적인 경쟁 체제에 진입하게 될 줄은 꿈에도 몰랐다. 모든 동아리가 지원자를 대상으로 면접을 한다는 것이었다. 특히 영화 감상 동아리처럼 신청서가 몰린 인기 동아리는 어쩔 수 없이 정원 내에서 신입을 뽑기 위해 면접을 진행해야만 했다. 이제 겨우 고등학생이었던 나는 면접이라는 것은 내가 언젠가 어른이 돼서 회사를 들어갈 때나 통과해야 하는 절차로만 생각했다. 내가 무슨 말을 했는지 기억은 나지 않지만, 나는 면접에서 아무런 인상도 남기지 못하고 동아리 가입 기회도 얻지 못했다.

어차피 고등학생들끼리 단체로 영화 관람하러 다니는 것이 유치하고 피곤할 것 같기만 했다. 기껏해야 열일곱, 열여덟 살 밖에 안 된 청소년들이 영화에 대해서 무슨 깊은 대화를 나눌 수 있을까. 나는 영화에 대한 감상을 나누고 교류하는 온라인 카페를 찾아 가입했다. 온라인 세계에는 흥미롭고 통찰력 넘치는 시선들이 모여 있을 것이라 기대하며 게시판을 둘러봤다. 여기서 마음 맞는 사람들을 사귀면 얼마든지 멋진 이야기들을 나눌 수 있을 터.

제목이 흥미로운 글들을 찾아 읽어봤다. 그 중에서 눈에 띄는 제목이 있었다. *부드러운 바닐라빛 하늘에 가려진 잔인하고 지독한 외로움.* 냉소적인 시선과 외로움이 동시에 묻어나는 묘한 제목이었다. 작성자의 닉네임은 '검은 나비'. 클릭해봤다.

완벽한 세상 속에서 현실을 망각한 채 살아가는 자각몽. 우리는 각자 저마다의 자각몽 속에서 살고 있다. 허구로 지어낸 완벽한 표정 뒤에 아무에게도 들켜서는 안 되는 추악한 마음을 숨겨두고 있다. 세상을 속이

고, 스스로에게 이 삶은 완벽하다고 세뇌시킨다. *하지만 나의 무의식은 알고 있다. 꿈과 현실 사이의 좁혀지지 않는 간극을 온몸으로 자각하고 있다.*

영화 <바닐라 스카이>에 대한 감상인 것 같았다. 영화 속에서 주인공은 괴로운 현실을 잊기 위해 생명 연장 기술의 도움을 받아 영원한 잠에 든다. 그리고 자신이 좋아하는 것들로 설계한 꿈속에서 살아간다. 그 중 하나가 모네의 명화에서 묘사된 바닐라빛 스카이다. 자신이 꿈을 꾸고 있다는 사실을 자각하기까지 그는 행복한 순간만을 살아간다.

검은 나비의 글에는 정작 영화 내용은 아무것도 없고 영화와 관련 없는 지극히 개인적인 감상뿐이었다. 이제 와서 돌이켜보면 아무런 알맹이 없는 자의식 가득한 글이었지만 그때는 묘한 울림이 있었다. 당시 사춘기 청소년들은 대체로 유치하고 허세로 가득한 감성에 격한 반응을 보내곤 했다. 여기서 학교 사람들보다 멋진 친구를 만나겠다고 결심했던 나는 검은 나비에게 흥미가 생겼다. 그가 쓴 글을 검색해서 읽어보기 시작했다. 글이 두 개 정도 더 있었다. 하나는 내가 아직 보지 못한 영화에 대한 글이었고 하나는 가입인사 및 자기소개였다. 여자, 사는 곳은 서울, 좋아하는 영화 장르는 드라마, 스릴러. 어디서 용기가 났는지 모르겠지만 나는 검은 나비에게 쪽지를 보내봤다.

"안녕하세요. 혹시 '바닐라 스카이'를 보신 건가요?"

잠시 후 답장이 왔다.

"맞아요."

"얼마 전에 봤는데 영화의 인상이 너무 강하게 남아서 알아봤어요. 조금 어려운 영화라고 생각했는데 검은 나비님은 제대로 이해하셨나요?"

"그냥 개인적인 느낌을 적어봤어요."

"검은 나비님의 글이 좋았어요. 영화도 아주 감명 깊게 봤고요. 평소에 자신이 좋아하는 것들로만 채운 자각몽이라니, 멋진 설정 아닌가요?"

"그런가요? 저는 비겁한 현실 도피라고 생각했는데. 결국 인간이 발붙이고 사는 곳은 현실이잖아요. 그럼 끝까지 버티고 싸워봐야 하는 거 아닌가?"

검은 나비는 얼굴도 모르는 나를 대상으로 거침없이 의견을 표현했다. 나는 약간 압도당했지만 그럼에도 그 소신에서 매력을 느꼈다. 나는 이제 막 생겨난 팬심을 담아 답장했다.

"검은 나비님과 친하게 지내고 싶어요."

어디서 그런 용기가 생겼을까. 동아리 면접에서 떨어진 것이 사실 많이 분했던 나는 적극적으로 검은 나비에게 손을 내밀었다. 아직 답장이 오지도 않았는데 자기소개를 이어갔다.

"저는 열일곱 살이고 이름은 주연정이에요. 잠실 쪽에 살아요. 수상한 사람으로 오해할까 봐 먼저 소개해요."

1분 정도가 흘러 답장이 왔다.

"동갑이네. 나도 열일곱이야. 말 놓을까?"

그렇게 검은 나비와의 인연이 시작됐다. 그녀의 이름은 권정우. 여자 이름으로는 잘 사용하지 않는 중성적인 느낌이 매력적이었다. 내가 살고 있는 서울 지역에서 한 시간 떨어진 거리에서 살고 있었다. 그녀의 프로필 사진에는 화려하지는 않지만 단정한 검정색 나비가 우아한 자태로 날개를 펼치고 있었다.

"그런데 왜 검은 나비야?"

검은 나비는 여러 문화권에서 변화의 상징으로 여긴다는 내용을 어딘가에서 본 적이 있다. 많은 한국 사람들이 불길하게 느끼는 것과 달리 재탄생, 성장, 진화를 의미하기 때문에 강인함의 의미를 내포하고 있으며, 더 나아가 영적 각성과도 관련이 있다고 한다. 하지만 정우가 검은 나비를 프로필 사진에 올린 이유는 기억이 나지 않는다. 설명을 들었지만 내가 기대했던 것만큼 강력한 상징성이나 의미가 없었기 때문일지도 모른다.

이번 제주도 여행에서 15년 만에 다시 만난 정우의 오른쪽 날개뼈 부근에는 검은 나비 문신이 생겼다. 어깨 너머 찰랑거리는 머리칼 사이로 분명한 존재감을 드러내고 있었다. 과거 프로필 사진으로 사용했던 단순한 나비와는 달리 문신으로 새긴 검은 나비는 화려한 무늬를 자랑하듯 두 날개를 활짝 펼치고 있었다. 하지만 날개의 무늬는 감탄을 자아내기보다는 나비를 짓누르고 있는 것처럼 묵직하고 답답해보였다. 마치 내가 등에 짊어지고 있는 공기통처럼.

수심이 무겁게 어깨를 누르는 물속에서 공기통은 나와 생을 잇는 유일한 매개였다. 그 확실한 존재감은 걸리적거리고 귀찮지만, 절대 벗어서는 안 되며 수시로 상태를 체크해야 하는 나의 생명선이었다. 깊이 내려온 지 얼마 안 됐는데도 나는 자꾸만 게이지를 들여다보며 공기의 잔량을 확인했다. 공기통에 있는 공기는 한정적인데 이렇게 물처럼 들이마시기만 해도 괜찮을지 걱정이 됐다. 내가 이렇게 삶에 애착을 가져본 적이 있던가? 육지에서 두 발로 걷고 자유롭게 공기로 호흡할 수 있는 인간이 굳이 복잡한 장비를 이고지고 물속에 들어와 봐야 할 이유는 무엇일까?

앞의 두 사람을 따라잡기가 쉽지 않았다. 조금만 천천히 가줬으면 좋겠다고 생각하던 그때, 정우가 나를 향해 고개를 돌리더니 앞쪽을 가리켰다. 강사가 어느 산호 앞에서 우리를 향해 손짓하고 있었다. 가까이 다가가자 강사는 산호 사이를 손가락으로 가리켰다. 주황색에 흰 띠를 두른 작은 물고기 두 마리가 산호 사이에서 우리를 올려다보고 있었다. 니모다! 애니메이션 <니모를 찾아서>에서 나오는 귀여운 주황색 물고기 말이다. 주황색 탱탱볼처럼 생긴 물고기 두 마리. 아, 귀엽다. 정우에게 눈짓으로 속삭였다. 방심하고 있을 때 덩치가 조금 더 큰 녀석이 갑자기 나를 향해 돌진했다가 차마 치지는 못하고 물러났다. 썩 가버리라는 위협이었다. 하지만 날쌔게 치고 빠지는 녀석의 공격은 위협적이기는커녕 하찮기 짝이 없었다. <니모를 찾아서>에서 니모의 아빠는 과잉보호가 심한 캐릭터였던 것이 기억났다. 아들과 보금자리를 잃을까 전전긍

긍했던 모습. 나에게 가한 그 공격은 꽤나 절박한 일격이었을 것이다. 갑자기 측은한 마음이 들었다. 강사의 눈을 쳐다봤다. 이들 가족에게 평화를 주면 어떨까요. 강사는 내 마음을 읽었는지 다음 스팟으로 이동하자며 손짓했다.

새끼를 지키려는 주황색 물고기처럼 학생 시절의 정우도 나를 항상 보호해줬다. 처음 만난 날부터 그녀는 나의 흑기사였다. 쪽지와 채팅으로만 소통했던 우리는 영화 동호회 정모에서 처음 만났다. 완연한 봄, 나는 학교 사람들이 아닌 새로운 사람들을 만날 생각에 긴장 반, 기대 반인 마음을 안고 하늘거리는 흰색 원피스를 입고 나갔다. 흰색 원피스는 생일이나 가족 기념일 같은 특별한 날에나 입는 옷이었다. 평소에는 학교 규정 때문에 묶고 다니던 긴 머리도 차분하게 내렸다.

정모에 참여한 사람은 스무 명 정도였다. 모임을 위해 대관한 카페에 각자 자리를 잡고 앉아 서로 자기소개를 하며 인사를 나눴다. 나와 정우를 제외하고는 모두 대학생이었다. 성인이 된 언니들과 오빠들 사이에서 나는 평소보다도 말수가 적어졌다. 한편으로는 어른들 사이에 섞여 있는 기분이 썩 나쁘지 않았다. 그들은 이제 막 고등학생이 된 나와 정우를 귀여워하며 환영했다.

"닉네임이 뭐예요?"

키가 크고 마른 체형에 안경을 낀 대학생 오빠가 물었다.

"저는 '벚꽃나무'예요."

"벚꽃나무? 왜 벚꽃나무야?"

"그냥…. 가입할 때 창밖에 벚꽃이 피어 있었거든요."

"하하, 귀엽네."

그는 은근슬쩍 말을 놓으며 머리를 쓰다듬었다. 그리고 정우에게도 물었다.

"그쪽은?"

"'검은 나비'요."

"오, 뭔가 강렬한데. 이미지랑 어울려."

안경남이 너스레를 떨었지만 정우는 별 대꾸 없이 앞에 놓인 콜라를 마셨다. 같은 고등학생인데도 그녀는 쑥스러워하거나 어려워하는 기색이 없었다. 과연 안경남의 말대로 그녀가 뿜어내는 강렬함은 검은 나비라는 닉네임과 잘 어울렸다. 귀밑까지 짧게 자른 단발, 왼쪽 귀에 달린 귀걸이 두 개, 검은 티셔츠에 찢어진 청바지. 티셔츠와 청바지의 절제된 스타일과 작은 악세서리를 통해 선언적으로 드러낸 개성이 절묘한 대비를 이루고 있었다. 나비의 연약한 실루엣과 검정색의 묵직한 뉘앙스가 서로 대비를 이루듯. 왼쪽 귀에 오른쪽 귀보다 귀걸이 한 개를 더 많이 착용한 것도 의미가 있어 보였다. 당시 내가 다니던 학교에서는 귀걸이 착용을 규제하고 있었고, 나는 살에 구멍을 낸다는 것은 상상조차 할 수 없었다. 만약 귀걸이를 했어도 눈에 띄지 않는 큐빅 귀걸이를 양쪽 귀에 하나씩 했을 것이다. 그녀의 개성이 엿보이는 스타일링은 나의 선망을 자아냈다.

안경남은 정우가 반응을 해주지 않자 슬쩍 다른 테이블로 옮겨 갔다. 정우와 나만 남았다. 안경남이 자리를 뜰 때까지 다른 곳을 보고 있던 정우는 나와 눈이 마주치자 먼저 말을 걸었다.

"드디어 만나는구나."

정우가 살짝 미소 지으며 손을 내밀었다. 나도 손을 잡고 대답했다.

"그러니까. 너무 궁금했잖아, 나도."

손을 놓으면서 문득 정우의 옷소매에 뚫려 있는 작은 구멍을 발견했다. 내가 물끄러미 바라보자 정우가 겸연쩍게 말했다.

"아, 담뱃재."

그녀는 담배를 피우는 고등학생이었던 것이다. 내가 딱히 할 말을 찾지 못하고 쳐다보자 정우는 나보고 귀엽다며 웃었다. 정우의 모습은 당시 내가 알고 있던 모든 틀과 상식을 깨고 있었다. 남다른 사연이 있는 영화 속 주인공 같았다. 소매에 담뱃재를 흘려 태우는 허술함은 그녀의 매력을 배가시키는 반전이었다. 냉정하게 생각해보면 그저 불량 학생의 요소를 적절히 갖춘 사춘기 반항아에 지나지 않았지만 그때는 그 모습이 신선하고 흥미로웠다. 그녀에게 인상적인 대답을 하기 위해 고민한 끝에 겨우 한 마디를 했다.

"담배는 폐에 좋지 않아."

정우는 웃음을 터뜨렸다. 당연한 말을 너무 진지하게 하는 모습이 재미있다고 했다. 조금 무안했지만 그녀가 웃어줬다는 보람이 더 컸다.

정모의 1차 프로그램은 카페에서 마쳤다. 2차는 저녁식사였다. 미리 예약해둔 고깃집에서 스무 명 되는 인원이 북적거리며 고기를 굽고 술을 마셨다. 나와 정우는 미성년자였기에 탄산음료로 대신했다. 카페에서 제법 친해진 사람들이 너도나도 떠들었다. 술까지 들어간 일부 사람들은 목청이 커졌다. 영화 동호회라면서 영화 얘기는 없고 온통 시끄러운 게임 소리나 잡담 소리로 혼란스러웠다. 집에 가고 싶어진 나는 슬금슬금 주변 눈치를 보며 기회를 엿보고 있었다. 그때 카페에서 친한 척을 했던 안경남이 다가와 어깨동무를 했다.

"사이다만 마시면 심심하지 않아? 맥주 한번 마셔볼래?"

"아, 저는 미성년자라서…."

"괜찮아, 괜찮아. 오빠가 옆에서 봐주잖아. 한 모금만 마셔봐."

어느 새 술에 잔뜩 취해버린 안경남이 집요하게 맥주잔을 들이밀었다. 나는 한사코 손사래를 치며 밀어냈다. 하지만 술에 취한 성인 남자의 완력은 결코 만만하지가 않았다. 내가 소심하게 밀어내면 밀어낼수록 강력하게 어깨를 잡고 놓아주질 않았다.

"고등학생 때 다 마셔보고 하는 거야. 그래야 나중에 어른 돼서도 쑥맥이라는 소리 안 듣지."

도대체 무슨 소리를 하는 건지 알 수가 없었지만 그저 무섭고 벗어나고만 싶었다. 술 냄새까지 잔뜩 풍겨서 너무도 불쾌하고 혐오스러웠다. 열심히 밀어내봤지만 이성을 놓은 성인 남자를 힘으로 이기는 것은 불가능했다. 소란스러운 통에 다른 사람들은 구석에서 내가 난감한 상황에 처해 있는 것도 모르는 것 같았다.

"미친놈이 돌았나! 야, 저리 안 꺼져?"

건너편에서 지켜보던 정우가 분노에 찬 목소리로 외쳤다. 사람들이 모두 멈추고 우리 쪽을 쳐다봤다.

"나이도 처먹을 만큼 처먹은 새끼가 어디서 취해서 미성년자한테 수작을 걸고 지랄이야? 콩밥 한번 먹어보고 정신 차릴래?"

정우는 거침없이 퍼부었다. 안경남은 뒤통수를 맞은 것처럼 얼이 빠져 있다가 사람들의 시선을 의식하고 내게서 바로 떨어졌다. 그리고는 뭐라고 알아들을 수 없는 말을 혼자 웅얼거리더니 나가버렸다. 나도 할 말을 찾지 못하고 그저 정우를 바라볼 뿐이었다.

그날 집으로 돌아온 후 나는 들뜬 마음으로 엄마에게 새로 사귄 친구에 대해서 재잘대며 떠들었다. 형제자매 없이 부모님의 관심을 독차지하며 자라왔던 나는 딱히 부모님에게 숨기는 것이 없었다. 학교 동아리 면접에서 떨어져 속상한 이야기부터 사이버 공간에서 새로운 친구를 사귀게 된 이야기까지 부모님은 모두 알고 있었다. 그날 나는 정우가 얼마나 멋있고 쿨한 친구인지, 그녀가 나를 어떻게 구해줬는지 등을 열심히 설명했다. 물론 담배와 술 얘기는 빼고. 엄마는 아주 열심히 듣지는 않았지만 건성으로 듣지도 않았다.

"색다른 경험을 하고 왔네, 우리 연정이가? 그래, 어릴 때 새로운 사람들을 만나보는 것은 좋아. 그래도 인터넷 통해서 만난 친구니까 거리는 좀 두고. 알아서 조심하면서 지내도록 해."

부모님은 적당한 관심과 주의를 주면서 모든 결정과 판단은 내게 맡겼다. 부모님은 언제나 나의 자랑을 받아주고 고민을 들어주었지만, 책임감 있게 선택하고 내 인생을 운영해나가야 할 의무는 결국 누구도 아닌 나의 것이었다. 다행히 내게는 아직 책임감 있는 선택을 해야 하는 상황이 닥친 적이 없었고, 나는 한없이 너그러운 부모님의 울타리 안에서 내 마음이 가는 대로 살 수 있었다.

잠에 들기 전, 나는 정우로부터 받은 휴대폰 번호로 문자를 보냈다. 만나서 반가웠고, 도와줘서 고마웠고, 앞으로 좋은 친구가 될 수 있기를 기대한다고. 나는 두 여자의 일탈과 우정을 그린 <델마와 루이스> 같은 영화를 머릿속에 그리며 잠들었다.

그 후로 우리는 영화 정모는 나가지 않았다. 매일같이 온라인에서 만나 채팅을 하거나, 시간을 맞춰 영화를 보러 가거나, 날씨가 좋은 날에는 할 일 없이 한강 고수부지에서 바람을 쐬며 더욱 가까워졌다. 지역이 멀어 서로의 일상을 낱낱이 알 수는 없었지만 우리는 서로를 만나기 위해 기꺼이 시간을 냈다.

담배를 피우고 사실 술도 마셔본 적 있다는 정우는 의외로 본격적인 비행 청소년은 아니었다. 성적도 상위권이었고 미대를 갈 거라며 미술학원도 다니고 있었다. 나름 성실한 학생이었던 것이다. 대충 되는대로 살아갈 것 같은 그녀의 반항적인 첫 인상은 완벽한 반전을 선사했다. 나는 상당한 자극을 받았다. 대학에 진학할 생각은 있었지만 이제 겨우 고등학생이 되었으니 2년 뒤의 미래는 천천히 고민해도 된다고 생각했기 때문이다.

한편 정우는 알면 알수록 고독한 아이였다. 옆에서 가까이 보면 마음 붙일 곳 없는 방랑자 같았다. 열심히 공부를 하는 이유도, 그림을 그리는 이유도, 담배를 피우는 이유도, 영화 동호회 정모에 나간 것도 모두 그냥 할 일이 없어서라고 대답했다. 덤덤한 말투와 자주 덤벙거리는 허술함, 사소한 일에 연연하지 않는 소탈함 뒤에는 쉽게 열어주지 않는 마음이 특별한 사연을 담은 채 자물쇠를 굳게 걸어 잠근 것 같았다.

친구가 된 지 반 년이 되어갈 무렵, 마침내 정우가 고독해 보이는 이유를 알게 됐다. 열 살이 채 되기 전에 이혼한 부모님, 존재만 알고 있는 배다른 동생, 함께 살고는 있지만 일과 개인의 삶 때문에 집에서 볼 일이 거의 없는 엄마, 가끔 연락은 하지만 삶이 겹치지 않는 아빠. 집에는 늘 아무도 없었고 혼자 자라온 것과 마찬가지였다고 그녀는 말했다. 학교에서 교우 관계는 나쁘지 않았지만 매일같이 만나는 사람들에게 사적인 얘기를 하는 것은 불편하다고도 덧붙였다. 일상적인 범위에서 만나는 사람들과는 항상 적당한 거리를 두고 있었기 때문에 아주 가까운 친구도 없었다.

정우의 이야기는 나를 숙연하게 만들었다. 나는 신중하게 말을 골랐다.

"외로웠겠다."

그러자 정우는 귀엽다는 듯이 피식 웃었다.

"그건 그냥 외롭다라는 말로는 설명이 안 돼. 가슴 어딘가에 큰 구멍이 뻥 뚫린 채로 자라는 거거든."

"그럼 어떤 건데?"

"글쎄, 어떻게 설명하면 좋을까. 설명해도 넌 잘 모를 거야."

"내가 왜 몰라?"

"너는 별 문제 없이 순진하고 해맑게 살아왔잖아. 최근에 가장 상심했던 일이 동아리 면접 떨어진 일이었다며."

갑자기 얼굴이 화끈거렸다. 정우가 나에 대해서 그렇게 생각하는 줄은 몰랐다. 그때까지 나는 타인에게 비치는 내 모습을 궁금해한 적이 한 번도 없었다. 누군가 나에 대해 어떤 인상을 지니고 있는지 들어본 것도 처음이지만, 그 인상이 내가 멋있다고 생각해온 모습과 동떨어진 것이 더 충격적이었다. 겨우 동아리 면접 떨어진 일로 투정부렸던 철부지라니. 나는 약간 발끈하며 말했다.

"다른 사람의 인생을 함부로 평가하지 마. 같은 크기의 불행이라도 사람마다 받아들이는 아픔은 서로 다른 거야."

영화를 많이 본 덕분에 튀어나온 말이었는지, 나는 제법 통찰력 있는 대사를 구사해냈다고 속으로 생각했다. 정우는 허를 찔린 듯했다. 그리고 빠르게 본인의 발언에 대해서 사과했다.

"미안해, 연정아. 내가 경솔했어. 함부로 말해서 정말 미안해. 앞으로 조심할게."

내 눈을 똑바로 보며 진심으로 사과하는 정우의 눈을 나는 이내 피해버렸다. 잘못을 인정하는 순간에도 정우는 당당하고 주저함이 없었다. 나는 어느 영화에 등장할 법한 현자 캐릭터의 대사로 어른인 척은 했지만, 사실 그 발상이 얼마나 유치한 것인지 마음속 깊이 알고 있었다.

사과를 받았어도 '별 문제 없이 순진하고 해맑게'라는 정우의 말을 머리에서 떨칠 수가 없었다. 정우는 처음부터 나의 동경과 선망을 자아냈다. 그녀의 친구가 되고 싶었고 누구보다 가까워졌지만, 상대적으로 내가 그렇게나 매력 없고 깊이 없는 인물로 비친다는 사실은 참을 수가 없었다. 그래서 한동안은 불행하고 슬픈 사연의 여주인공이 등장하는 영화와 소설만 골라서 봤다. 사랑하는 사람을 잃은 여자, 시한부 판정을 받은 여자, 가족을 모두 잃고 세상에 홀로 남겨진 여자, 아이와 헤어진 여자, 지병을 앓고 있는 여자 등, 세상은 슬프고 불행한 여자들의 이야기로 넘쳐났다. 나는 그녀들의 사연에 점점 몰입됐다. 그리고 그녀들의 슬프고 외로운 이야기에 감정을 이입하기 시작했다. 반복적인 몰입의 힘은 강력해서 나는 내가 겪을 수 있는 슬프고 불행한 이야기들을 머릿속에 그려 갔다. 내가 슬픈 이야기의 여주인공이 된 것 같은 기분도 들기 시작했다.

머릿속에 그렸던 가상의 이야기들을 입 밖으로 낼 생각은 없었다. 정우가 사준 술을 마시지 않았더라면 아마 절대 그럴 일은 없었을 것이다. 고등학생 2학년이 된 여름방학, 정우는 나에게 술을 마시게 해주겠다며 그녀의 동네로 나를 불렀다. 그 전부터 내가 술에 호기심을 보였던 것을 기억한 것이다. 미성년자가 술을 살 수 있다는 사실 자체가 놀랍고 조금은 무서운 일이었다. 하지만 우리는 델마와 루이스 같은 특별한 사이라고 믿고 있었다. 그리고 나는 수많은 비운의 여주인공 이야기를 폭넓게 섭렵한 터라 진짜인지 가짜인지 모를 불행한 감정을 계속 안고 있었다. 술이라는 것에 도전해 보기에 딱 적절한 상태라고 생각했다.

밤공기는 상쾌했고 기온도 적당했다. 정우의 동네에는 한창 공사 중인 건물이 하나 있었다. 출입을 막아놓지 않아서 소주 두 병을 들고 몰래 들어갈 수 있었다. 우리는 건물의 한 구석에 자리를 잡았다. 콘크리트 벽과 바닥은 차가웠지만 두 잔 정도를 마셨더니 취기가 올라와 금세 온화하고 편안한 기분이 들었다. 정우도 취기가 올라왔는지 평소에는 하지 않던 말을 꺼내기 시작했다.

"나는 네가 참 부러웠다."

"응? 뭐가?"

"천진난만하고 그늘 없는 네가 부러웠어. 평소에 나는 탁한 물 같은데 너와 같이 있으면 나도 덩달아 맑아지는 것 같거든. 나를 섬세하게 챙겨주는 따뜻함도 고맙고. 너는 마음의 여유가 있어서 나라는 아이도 자연스럽게 포용해주는 것 같아."

나는 잠자코 들었다. 정우는 계속해서 말을 이어갔다.

"그런데 네가 전에 나한테 그랬잖아. 사람마다 느끼는 고통의 크기는 저마다 다르다고. 나 그때 집에 가서 반성 참 많이 했다. 남들과 조금 다른 환경에서 자랐다고 해서 남들보다 우월한 것도 아니고 앞선 것도 아닌데, 나는 나도 모르게 착각을 하고 있었던 것 같아. 내가 남들보다 인생에 대해서 잘 알고 있다고. 조금 부끄러웠어. 그저 순진하기만 한 줄 알았는데 네가 생각하는 것들이 나보다 어른스러워서."

정우는 반성하는 방식도 성숙했다. 하지만 술을 마시고 감성적이 된 나는 '천진난만하고 그늘 없는 너'라는 말에 또 반응을 하고 말았다. 나는 그렇게 얄팍하지 않은데. 나도 나름의 깊이가 있는데. 나는 머릿속에 담아두었던 이야기를 늘어놓기 시작했다.

"나 사실 부모님이 없어. 지금 내가 엄마, 아빠라고 부르고 있는 사람들은 고모와 고모부야. 친부모님은 어릴 때 어디론가 도망갔는데 연락도 안 돼. 지금까지 고모와 고모부 손에 자랐지. 사촌언니도 있는데, 솔직히 단 하루도 눈치를 보지 않은 적이 없어. 당연하지 않겠어? 친자식과 조카는 아무래도 다르잖아. 대하는 방식이 아예 달라. 게다가 부모님이 고모한테 어마어마한 빚을 지게 만든 바람에 고모네 가족은 지금도 형편이 좋지 않아. 그 집에서 나는 큰 소리도 못 내고 그저 나를 내쫓지만 않기를 바라며 조용히 살고 있지."

한번 시작하고 나니 불행의 이야기를 써내려가는 것은 아주 쉬운 일이었다. 자신이 생각했던 것과 달리 내가 각박한 환경에서 외롭게 자라왔다는 이야기를 듣자 정우는 눈이 커지며 술이 깨는 듯했다. 술술 쏟아져 나오는 이야기 속에서 나를 애지중지 키운 부모님은 졸지에 고모와 고모부가 되어버렸다. 나를 키워온 그들의 고단함, 어렴풋이 기억나는 친부모의 얼굴, 그나마 기억하는 그들의 냉대, 쓸쓸한 유년기, 부모님이 없는 생일과 입학식. 나의 허리춤에는 언제나 우울감이 범람한 강물처럼 축축하게 차올라 있었고, 나는 무기력하게 그 우울감 사이를 헤치며 버텨왔다. 내가 술에 취한 건지 아니면 내가 만들어낸 이야기에 도취된 건지 잘 분간이 되지 않았다. 착각했을지도 모르지만 정우의 눈이 조금 촉촉해진 것 같았다. 정우는 아무 말 없이 묵묵하게 나의 이야기를 들어주었다.

그날 둘 만의 술자리가 어떻게 마무리 되었는지는 기억에 없다. 빈 공사장에 술병을 그대로 버리고 온 것만은 기억이 난다. 양심상 마신 것들의 뒤처리는 제대로 해야 한다고 생각했지만, 둘 다 취하기도 했고 이왕 비행을 저지른 김에 끝까지 불량한 청소년이 되어보자는 생각도 있었다. 내가 학생으로서 저질러본 일 중에 가장 위험하고 나쁜 일이었다. 델마와 루이스처럼 우리는 거침없이 범죄현장을 떠났다.

돌이켜보면 당시 정우에 대한 내 마음은 첫사랑, 혹은 짝사랑과 비슷한 감정이었던 것 같다. 동성 친구라도 동경하는 마음이 커지면 설렘을 느끼기도 하지 않는가. 그리고 그만큼 상대방으로부터 같은 크기의 관심과 애정을 갈구하게 된다. 그래서 정우와 온라인 공간에서 15년 만에 다시 연결이 되었을 때는 나도 모르게 옛사랑의 역사를 염탐하듯 그녀의 계정을 구석구석 살펴봤다. 우리가 친구였던 시절로부터 타임머신을 타고 15년을 날아온 것처럼 뱃속이 간질간질했다. 그토록 소신 있고 용감했던 나의 옛 친구는 15년 뒤 얼마나 더 깊고 멋진 어른으로 성장했을까? 한편으로는 오랫동안 잊고 지냈던 나의 부끄러운 기억이 함께 떠오르면서 주저하기도 했다. 하지만 나도 그때로부터 성장했으니, 안에서 꿈틀거리는 부끄러움과 죄책감을 애써 누르며 성숙한 어른으로서 정우를 마주하기 위해 노력했다.

우리가 다시 만난 곳이 온라인 공간이라는 사실은 아이러니하다. 스마트폰과 SNS가 발달하자 지난 10여 년 동안 잊고 지냈던 과거의 인연들이 친구 추천에 뜨기 시작했다. 내가 이들과 과거에 스친 적이 있었다는 사실을 어떻게 파악해서 어떤 알고리즘으로 추천을 하는 것인지 생각하면 무서웠다. 핸드폰에 전화번호 혹은 이메일이 저장되어 있거나 현재 친구의 친구 등으로 연결되어 있는 사람들을 추천해준다는 사실을 알고 나서는 나의 과거 네트워크가 어디까지 소환될 수 있는지 궁금해졌다. 알고리즘은 내가 과거에 잠깐 스쳐갔던 온라인 커뮤니티까지 간파하고 있었던 걸까. 정우가 먼저 나를 팔로우하기 시작했다. 나를 어떻게 찾았는지 모르겠지만, 주연정이라는 내 이름이 아주 흔한 이름이 아니다 보니 검색을 하면 금방 찾을 수 있었을 것이다. 나 역시 권정우라는 이름을 찾아볼 수도 있었지만 차마 용기가 나질 않았다.

정우의 계정은 온통 열정적으로 살아온 흔적으로 가득했다. 여행을 많이 다녔는지 이국적인 풍경 사진이 수두룩했다. 그 중에는 문신 사진도 있었고 자동차 사진도 있었다. 반면 나의 계정에는 예쁜 카페에서 본 소품, 어느 날씨 좋은 날의 동네 풍경, 마음에 들었던 책 구절, 주말에 갔던 전시회 티켓 사진 등 일상적인 반경에서 흔히 볼 수 있는 것들이었다. 어린 시절에 그랬던 것처럼 정우의 삶이 한없이 멋져 보이거나 내가 상대적으로 위축되는 느낌은 들지 않았다. 그저 그녀다운 모습으로 살고 있다고 생각했다. 남자나 아이의 흔적이 없는 것을 보니 결혼은 하지 않은 것 같았다.

결혼은 어쩐지 정우와 어울리지 않았다. 그녀와 어깨를 나란히 할 남자는 신체적으로나 정신적으로나 평균 이상의 강인함을 지녀야 하고, 넓은 시야와 활동력을 갖추고 있어서 정우의 불같은 기질과 성향을 충족시킬 수 있어야 할 것 같았다. 살면서 한 번도 만나본 적 없는 남성상을 떠올리다 보니 정우는 한국 남자와는 맞지 않겠다는 결론이 나왔다.

나 또한 결혼은 하지 않았다. 비혼주의자는 아니지만 결혼을 하고 싶은 마음도 별로 없었다. 부모님도 내키지 않으면 굳이 할 필요는 없다고 했다. 엄마와 아빠가 나를 소중하게 키워왔던 것처럼 나를 중심으로 살아줄 헌신적인 남자가 아니면 굳이 할 필요가 없다고 생각했다. 각자 열심히 벌어서 모은 돈을 기껏 결혼 비용에 모두 쏟아 붓고, 시댁과 친정을 오가는 일로 다투고, 생활비 같은 현실적인 문제로 갈등하고, 아이까지 낳으면 육아 때문에 민낯을 드러내게 되는 현실이 썩 끌리지 않았다. 물론 그런 각박한 현실에서 낭만을 채워줄 수 있는 남자라면 조금 고민해볼 여지는 있었다. 이런 나의 몽상가적 기질은 어른이 되면서 자연스레 깨닫게 되었다. 다양한 사회적 맥락에서 만나 교류해온 많은 사람들이 일깨워 줬다. 사춘기의 망상에서 깨어가는 과정이 즐겁지는 않았지만, 나이를 먹을수록 한 가지는 명료해졌다. 나는 그런 낭만도 없고 멋도 없는 삶은 살고 싶지 않아. 그냥 혼자서 재미있고 예쁜 것들을 보면서 살아도 좋으니까.

나는 정우의 게시물 몇 개에 '좋아요'를 눌렀다. 얼마 뒤 정우도 나의 게시물들에 '좋아요'를 누르며 반응했다. 하지만 서로 댓글을 쓰거나 인사를 나누지는 않았다. 정우가 같이 여행을 가지 않겠느냐며 먼저 메시지로 물어보기 전까지는. 나는 이유도 묻지 않고 가겠다고 답했다. 오랜만에 보고 싶은 마음도 있었지만, 이것은 15년 전 내가 했던 거짓말에 대한 최소한의 피해 보상이라고 스스로를 납득시켰다. 그리고 그것은 정우와의 관계에서 내가 가장해왔던 역할이 자동으로 재생된 것이었고, 묻어두고 지냈던 나의 옛 습관이었다.

니모와 만났던 다이빙이 끝나고 우리는 다이빙숍으로 돌아왔다. 게스트하우스를 같이 운영하고 있는 숍이라 장비를 정리하고 샤워를 한 후 바로 각자의 시간을 가질 수 있었다. 방에서 가방을 정리하고 있자니 창밖에서 통화하는 소리가 들렸다. 다투는 소리였다.

"그래서 이제 와서 뭐 어쩌자고?… 네가 날 몇 번이나 배신했는데 어떻게 믿어? … 나 지금 한국 아니니까 전화하지 마."

정우의 목소리였다. 전화를 끊은 후 잠시 정적이 흘렀다. 희미하게 창문 틈새로 담배 냄새가 흘러 들어왔다. 나는 그녀의 목소리 톤과 뉘앙스를 통해 상대방은 남자일 것이라 짐작했다. 남자친구가 있었나? 정우와 만나는 남자는 어떤 남자일까? 이런 생각을 하며 다시 가방을 정리하는데 창문에서 똑똑 소리가 났다. 고개를 드니 창밖에서 정우가 담배 연기를 뻐끔거리며 나를 보고 있었다.

"맥주나 할래?"

고등학생 시절 처음으로 술을 마시며 내가 정우에게 들려줬던 불행 스토리는 점점 수습이 어려워질 지경으로 진화했다. 급기야 지병이라는 전형적인 소재까지 추가되고 만 것이다. 어느 주말, 나는 시계 알람 소리를 듣지 못하고 핸드폰도 무음으로 한 채로 오후까지 자버렸다. 그것 때문에 정우는 나를 몇 시간이나 기다렸다. 차마 퍼질러 자느라 나가지 못했다고 말할 수 없어서, 오전에 쓰러지는 바람에 병원에 실려 갔다고 거짓말을 해버렸다. 대충 심장이 약하다는 설정이었다. 그래서 정우는 나를 보호해야 할 이유가 하나 더 생겼다.

나는 내가 설정한 역할에 한없이 몰입되어 캐릭터를 심층적으로 개발해나갔다. 정우를 만날 때는 첫 만남 때의 모습처럼 생머리를 길게 내리고, 청순하고 연약한 이미지를 자아내는 길고 하늘거리는 치마를 주로 입었다. 학교가 달랐기 때문에 평소의 모습을 서로 지켜볼 일이 없었다는 점이 유리하게 작용했다. 작정을 하고 속일 생각은 아니었다. 그저 정우 옆에서 그녀만큼 깊고 강인한 매력을 가진 친구로서 존재하고 싶었을 뿐이다.

어느 날 엄마가 막 외출을 하려는 나에게 물었다.

"엄마가 전에 사온 청바지는 잘 안 입네? 취향에 안 맞아?"

나는 대충 둘러댔다.

"살이 좀 찐 거 같아서 요즘은 치마가 더 편하더라고."

"정말? 오히려 빠진 거 같은데. 오늘도 정우랑 노는 거야?"

"응. 영화 보려고."

"한번 놀러오라고 해. 우리 딸이 그렇게 좋아하는데 엄마도 궁금하다, 얘."

나는 정우가 멀리 살아서 가능할지 모르겠지만 한번 물어보기는 하겠다며 서둘러 나왔다. 차마 엄마한테 '사실 정우는 엄마가 고모인 줄 알아'라는 얘기는 할 수 없었다. 가족과 친구에게 거짓말을 했더니 시간이 흐를수록 마음이 두 배로 무거워졌다. 언젠가는 사실을 말해야 할 텐데, 사실을 말했을 때 정우가 나를 경멸하지는 않을까? 그녀의 거침없는 성격과 정의감을 잘 알고 있어서 더욱 걱정이 되었다. 그러나 그녀의 경멸이나 분노보다 두려운 것은 들키는 순간 초라하고 한심해질 나 자신이었다. 얼마나 우스운 꼴이 될까? 세상에 거짓말을 하다가 들켜서 사랑하는 모든 이들에게 버림받는 비운의 여주인공도 어딘가에 존재할까? 조바심과 불안함은 꾸며내지 않은 나의 순수한 감정들이었다. 그것들은 나를 진짜 불행으로 차츰 몰아가고 있었다.

나의 연극이 끝난 것은 고등학생 3학년이 된 여름이었다. 그래도 1년 정도는 버틴 셈이다. 나에 대한 얘기를 최대한 숨기고 주로 내가 설정한 불행에 대해서만 이야기하다보니 슬픈 정서를 늘 몸에 지니고 다녔다. 어떤 때는 그 불행이 실제로 나의 것이라는 순간적인 착각에 빠지기도 했다. 예를 들면 어떤 때는 심장이 정말 아픈 것처럼 느껴져서 잠깐 멈추고 숨을 고르는 시간을 가졌다. 슬픈 음악만 듣고 다녔더니 몸과 마음이 물에 젖은 솜처럼 무거워져서 걸음이나 행동도 느릿느릿해졌다. 정우와 함께 보내는 시간도 불편해지기 시작했다. 어느 날은 나의 상태가 너무 어두워진 것을 걱정한 정우가 물었다.

"오늘 좀 안 좋아 보이네? 어디 아파? 집에서 무슨 일 있었어?"

나는 그동안 해왔던 습관처럼 약간 쓸쓸하게 웃으며 대답했다.

"아니야. 늘 똑같지 뭐."

"왜 이렇게 힘이 없어."

"아니야, 정말…."

"불편하면 억지로 얘기 안 해도 돼. 하지만 도움이 필요하면 꼭 말해 줘."

정우는 언제나 선을 지킬 줄 알았다. 상대방의 영역이 어디까지인지를 알고 있는 것 같았다. 단도직입적이고 확실한 행동으로 자신을 표현하다가도 상대방이 진심으로 불편해하는 것 같으면 선을 절대 넘는 일이 없었다. 하지만 그날은 이유도 없이 그런 어른스러운 배려가 유난히 신경이 쓰였다. 왜 더 묻지 않는 거지? 내가 불편할까 봐? 내가 왜 불편할 것 같은데? 혹시 눈치 챈 걸까, 나의 거짓말을? 더 물으면 나의 약점을 건드리게 될까 봐 여기서 멈춘 걸까? 오만가지 불안함이 나를 괴롭히기 시작했다.

"네가 뭘 도와줄 수 있는데?"

나도 모르게 작은 소리로 내뱉었다.

"어?"

"내가 집에서 무슨 일이 있었으면 네가 어떻게 해줄 건데?"

"아니, 나는 네가 이번에도 사촌 언니한테 무슨 소리를 들었나 해서…."

"사촌 언니?"

나는 고모의 딸인 사촌 언니라는 가상의 존재를 언급한 적이 있었다. 하지만 그 순간에는 잠시 멍해져서 순발력 있게 이야기를 이어가지 못했다. 마치 대사를 까먹은 배우처럼. 마땅히 이어갈 말이 생각나지 않자 초조해졌다. 하지만 나의 초조한 마음과 달리 머리는 하얗게 비어가기만 했다. 답답했다. 차라리 '사촌 언니'하고 되묻지 말았어야 했다. 말 못할 사연이 있는 것처럼 침묵했어야 했다. 정우는 나의 두 눈을 계속 들여다보고 있었다. 어떤 진실을 캐내야 한다는 사명감이라도 있었던 걸까. 그렇게 계속 빤히 쳐다보고 있을 필요는 없잖아. 말을 하지 않은 시간이 길어졌고, 곧 나는 나의 마음을 깨달았다.

"그만하자…."

결국 나는 모든 것을 사실대로 얘기했다. 사촌 언니는 없고, 고모와 고모부는 나의 친부모였으며, 냉대를 받은 적도, 눈치를 보며 살았던 적도 없다는 사실을 말이다. 사실을 털어놓는 내내 정우는 말이 없었다. 그녀의 진지한 무표정은 나를 더욱 긴장하게 만들었다. 죄인처럼 나의 죄를 이실직고하면서 긴장과 좌절을 오가는 동안, 정우로부터 경멸의 눈빛이나 분노의 비난 같은 것은 돌아오지 않았다. 오히려 어떤 감정도 읽을 수 없는 표정으로 가만히 듣기만 했다. '괜찮아, 많이 힘들었겠구나'라고 말해주기를 내심 기대했지만 끝까지 별 얘기는 없었고, 그날 우리는 어색하게 헤어져 각자의 집으로 돌아갔다.

집으로 돌아온 나는 심해처럼 깊이를 알 수 없는 우울감과 함께 가라앉았다. 거짓말을 들켜버린 한심함, 친구를 실망시켰다는 죄책감, 망상을 들켜버린 창피함. 세상 사람들이 알면 모두 나를 비웃겠지? 쟤가 비운의 여주인공 병에 걸려서 없는 얘기 지어내고 다닌 개래. 어디가 아팠대나. 아픈 것처럼 보이려고 일부러 옷이랑 머리도 힘없는 스타일로 하고 다녔다더라. 웃기네. 그러면 자기가 영화 주인공이라도 될 줄 알았나. 나 같으면 앞으로 얼굴도 못 들고 다닐 거야.

나의 거짓말은 정우만 알고 있지만, 정우가 사실을 알게 된 것은 온 천하에 알려진 것과 다름이 없었다. 어떻게 하면 나의 이야기가 우습지 않은 결말을 맞이할 수 있을까. 몹시 불행하다. 지금이 기분이면 세상에서 사라지는 편이 더 나을 것 같다. 유서라도남기면 사람들이 비웃지 않고 슬퍼해줄까. 내가 진짜 불행한 아이였다는 사실을 믿어줄까. 이대로 삶을 끝내도 괜찮겠다고 생각한 나는 오랫동안 들어가지 않았던 영화 동호회의 게시판에 글을 쓰기 시작했다.

캄캄한 바다 속으로 가라앉는 기분. 가슴이 먹먹하고 무겁다. 다들 나를 비난하겠지만 나도 나만의 이유가 있었다고 말하고 싶다. '평범'이라는 단어가 얼마나 사람을 위축되게 하는지. 누군가를 평범하다고 말할 수 있는 근거는 도대체 무엇인가. 세상 누구도 평범한 사람은 없다. 나에게 그런 무자비한 잣대는 들이대지 말아주길…. 지금 이 불행한 마음은 가짜가 아니니까. 다들 안녕히.

짧은 유서 같은 글을 쓰고 다시 읽어봤다. 어법에 안 맞거나 웃음거리가 될 만한 부분이 있을까 봐 여러 번 반복해서 읽었다. 사람들이 나를 아름답게 기억하려면 이 마지막 글이 결정적인 역할을 할 터였다. 얼마나 특별한 사람이 되고 싶었으면 이렇게까지 극단적인 거짓말을 했을까 하며 불쌍히 여기는 사람도 있을지 모른다. 정우도 나의 글을 읽으며 진심으로 안타까워하고 나를 잃었다는 사실에 슬퍼할지도 모른다.

창을 띄워놓고 글을 쓰기 시작할 때만 해도 당장 한강에 뛰어들고 싶은 마음이었다. 그런데 계속 읽어보니 한 가닥의 이성이 나를 주저하게 만들었다. 여전히 창피한 마음이었지만, 이렇게 온라인 공간에서 사람들에게 감정적으로 호소하는 것이 오히려 우스운 기억을 남길 것 같다는 생각이 들기 시작했다. 나는 한참을 고민한 끝에 글을 올리지 않고 창을 닫아버렸다. 그리고 침대에 가만히 엎드려 다시 어두운 절망 속으로 침잠했다. 일단은 그저 버티는 수밖에 없다고 생각했다. 한강에 뛰어드는 것은 내일 다시 고민해 보기로 했다.

한참 뒤 정우에게서 문자가 왔다. 잘 들어갔느냐고 묻는 문자에 잘 들어왔다고 답을 보냈고 그것이 우리의 마지막이었다. 그 후로 누구도 먼저 연락하지 않았다.

우리는 끝내지 못한 이야기를 남겨둔 채 각자의 길을 걸어와 15년이 흐른 지점에 도달했다. 다이빙 후 맥주나 한잔하자는 정우의 제안에 우리는 가까운 해변에 나가서 맥주를 한 캔씩 깠다. 서로가 기억하는 마지막 모습에서 각자 15년간의 시간 여행을 마치고 다시 만난 것 같은 기분이 들었다. 둘 다 성인이 돼서 술을 마시는 것은 처음이었다. 물 속에서는 대화를 하지 않아도 됐던 점이 편했다는 사실을 문득 깨달았다. 바람이 공기를 가르는 소리가 우리 사이에 유난히 공허한 울림을 남기고 사라졌다. 침묵을 깰 겸 내가 먼저 말을 열었다.

"그런데 어쩌다 스쿠버 다이빙을 할 생각을 한 거야?"

"그냥 시간이 생겼는데 딱히 할 것도 없어서."

정우는 학생 시절에도 '딱히 할 일이 없어서'라는 말을 자주 했지만, 이번에는 무언가를 얼버무리려는 것처럼 보였다. 나는 말없이 정우를 물끄러미 바라봤다. 그 얘긴 처음에도 했잖아. 정우는 나를 흘끔 보더니 말을 계속했다.

"사실 필리핀에 가서 할 생각이었는데, 여행이 취소돼서 여기로 온 거야."

"필리핀? 혼자?"

"아니…."

정우는 잠깐 머뭇거리다가 말을 이어갔다.

"남자친구랑 가려고 했어. 걔가 먼저 가자고 했던 건데 그전에 대판 싸우고 헤어지는 바람에 여행도 파투났지, 뭐. 굳이 제주에서 다이빙을 하기로 한 건 '너와는 헤어졌지만 나는 의연하게 계획대로 간다'라는 오기였다고나 할까."

나는 고개를 끄덕이고 잠시 후 다시 물었다.

"아까 통화한 사람이야? 왜 헤어졌는지 물어봐도 돼?"

정우는 맥주를 길게 한 모금 들이켰다. 뜸을 들이더니 이내 편안해지기로 마음을 먹은 듯 이야기를 털어놓았다.

"그 새끼가 바람을 폈거든. 지 회사 후배하고. 이번이 처음도 아니었어. 전에도 그 회사 후배와 몰래 만났다가 들켰는데 제발 한번만 봐달라고 애원해서 그때는 그냥 넘어갔지. 그런데 또 만나고 있더라고. 사실 한동안은 알고도 모른 척했어. 이 문제를 또 수면 위로 드러낼 자신이 없어서. 싸우기도 싫고 헤어지는 것도 감정 소모가 너무 크니까."

"또 바람피우는 것을 알면서도 그냥 뒀다고? 왜?"

"글쎄, 왜 그랬을까…."

정우가 말끝을 흐렸다. 15년 전 안경남의 진상으로부터 나를 구해준 정우의 자신감과 결단력도 함께 흐려지는 것 같았다. 나도 모르게 마음의 소리가 튀어나왔다.

"의외다. 너라면 남자가 바람피우는 거 알았을 때 바로 응징했을 것 같은데."

너무 직설적으로 말한 것 같아 속으로 아차 싶었으나 정우는 유쾌하게 웃었다.

"하하, 맞아. 나도 내가 그럴 줄 알았지. 나를 함부로 대하면 못 참고 똑 부러지게 할 말 하고. 그런데 나 남자 보는 눈 진짜 없다? 사람 잘못 본 걸 인정하기 싫어서 끝까지 버틴 거야. 나의 남자 히스토리는 온통 실패한 이야기밖에 없어."

자신과 현실을 마주하는 솔직한 태도만은 여전히 정우다웠다. 그녀는 거리낌 없이 과거에 만나온 남자들 이야기를 해줬다. 그 중에서 가장 충격적인 것은 그녀가 스물세 살에 결혼을 했었다는 사실이었다. 나는 눈이 동그래져서 물었다.

"결혼?"

"응, 결혼. 놀랍지? 나는 내가 절대 안 할 줄 알았지. 부모한테서 제대로 된 부부 모습을 본 적도 없고 화목한 가정도 어떻게 생겼는지 아예 모르니까."

"그런데 왜 했어?"

"주연정이 이렇게 호기심이 많은 아이였나? 옛날엔 그냥 조용히 듣다가 어른스러운 조언이나 한 마디씩 해주더니."

"아…. 그랬나?"

나는 입을 다물었다. 옛날 얘기는 나의 창피한 기억을 떠올리게 했다. 정우는 피식 웃더니 말을 이었다.

"유럽 여행 중에 만났던 사람이었어. 한국에서도 연락을 주고 받다가 불같이 연애하고 한 8개월 만에 결혼했지. 부모님은 어차 피 내 인생에 관여하지 않았으니까 허락도 필요하지 않았고. 그런 데 치기 어린 불장난처럼 한 결혼이라 금방 끝이 보이더라. 어른들 말이 맞을 때 참 분하지만, 결혼은 현실이 맞더라고. 생활 습관부 터 가치관까지 서로 너무 달라서 1년 만에 갈라섰어."

"그렇게 서로 안 맞는지 그 전엔 몰랐어?"

"어렴풋이 알았던 것 같아. 그런데 중요하지 않다고 생각했어. 뜨거운 마음이면 다 극복할 수 있다고 생각했거든. 그때는 그가 했 던 말을 너무 믿고 싶기도 했고."

"무슨 말이었는데?"

그녀는 잠깐 침묵하더니 약간 쓸쓸함이 묻어나는 목소리로 말 했다.

"'정우야, 너는 아무것도 하지 마. 내가 다 해줄게. 너는 내 옆에 만 있어'라고."

고등학생 때의 정우는 세상이 던져주는 어떤 시련에도 꿋꿋이 자신의 페이스를 유지하며 누구의 보살핌도 필요하지 않은 독립 적인 삶을 살아갈 것만 같았다. '아무것도 하지 말고 내 옆에만 있 어'라는 남자의 공허한 말 한마디에 인생을 내던졌다는 정우의 이 야기는 내가 그동안 기억해왔던 그녀의 이미지를 깨뜨리고도 남왔다. 내가 기억하는 정우는 영화 속 히로인에 가까웠다. 나의 '불행한 삶'을 알게 된 후에는 든든한 언니처럼 나를 챙겨주고 지켜줬다. 덤벙대는 그녀를 섬세하게 챙겨주는 것은 내 역할이었고, 나를 좋은 곳에 데려가주고 재미있는 일을 해보자며 제안하는 것이 그녀의 역할이었다. 나는 혹시라도 내가 한 거짓말이 들통날까 봐 두려워 나의 자아를 드러낼 만한 개인사나 취향을 언급하는 것을 조심했다. 웬만하면 정우가 제안하는 것들을 마음 넓은 연인처럼 모두 받아들였고, 되도록이면 무의식적으로 내면의 목소리를 내지 않도록 주의했다. 정우가 하는 세상 얘기에 내 생각을 얹거나, 무언가를 하자는 제안에 내 의견을 더하면 나의 본모습이 발각될 것만 같았다.

그때의 나는 쓸데없는 일에 너무 많은 공을 들였고 그것을 죽을 만큼 부끄러워했지만, 절대로 극복하지 못할 것 같았던 그 감정도 이제는 기억으로만 남아있을 뿐이었다. 정우와 다시 연락이 닿은 순간부터 함께 여행을 하는 동안 내내 마음에 걸렸던 부담감은 그저 마침표를 찍지 못했던 우리의 마지막 기억 때문이었다는 사실을 깨달았다. 정우는 나에게 거짓말을 한 이유를 물어본 적이 없었고 나는 해명할 기회가 없었다. 나는 이런 죄책감을 해결하지 못한 채 그녀에 대한 기억을 오랫동안 한구석으로 치워두고 있었다.

정우가 맥주 캔을 만지작거리며 물었다.

"이제 네 얘기도 해봐. 넌 그동안 어떻게 살았어?"

"나는…"

나는 더 이상 정우한테 숨기는 것도 없고 연기를 해야 할 필요도 없었다. 그녀만큼 멋지고 깊은 사람이어야 한다는 부담도 없었다. 정우의 존재는 나를 더 이상 압도하지 않았다. 게다가 그녀가 살아온 이야기는 그녀의 현실적인 판단력 부재와 인간적인 약점을 여실히 드러냈다. 그녀도 그저 아등바등 사춘기를 버티고 어른의 고단한 삶을 살아내며 여기까지 온 한 명의 인간이었다. 그러나 어린 시절 품었던 선망이 깨졌다는 아쉬움보다는 옛 친구에 대한 연민이 새롭게 생겨났다.

나는 그럭저럭 평범하게 살아온 이야기를 들려줬다. 어느 4년제 대학에 들어가 국문학을 전공하고 졸업 후에는 출판사에 취직했다. 이직은 두어 번 했으나 업계를 떠난 적은 없고 여행도 몇 번 갔으나 한국 사람들이 많이 가는 흔한 도시에서 흔한 관광을 해봤다. 여전히 영화나 소설을 좋아하지만 어디까지나 취미로 즐겨왔다. 연애도 몇 번 해봤고 결혼 얘기가 나왔던 상대도 있었으나 가치관과 결혼에 대한 시각의 차이로 헤어졌다. 부모님을 언급하기는 조금 부담스러웠지만, 이미 오래 전에 독립해서 혼자 살고 있다는 것까지 모두 얘기했다. 전에도 그랬던 것처럼 정우는 감정을 읽을 수 없는 표정으로 나의 이야기를 들었다. 가끔은 질문도 했다. "어떤 출판사?" "거기 여행은 언제 가본 거야?" 이야기에 대한 적당한 반응도 보였다. "결혼 얘기도 있었구나." "혼자 살면 편하겠네." 특별히 흥미롭거나 박진감 넘치는 이야기가 아니었을 텐데도 정우는 집중해서 들었다. 내 이야기가 대충 끝나자 정우가 말했다.

"멋있다. 차곡차곡 성실하게 삶을 쌓아가는 모습이."

"그래? 그냥 평범한 것 같은데."

"그게 나쁜 건가. 너의 삶에는 너만의 고유한 색깔이 있는 거지."

"고유한 색깔?"

"그래. 사람들은 저마다 지니고 있는 색깔이 있다고 생각하거든. 예를 들면 나는 의도하지 않았는데 정신을 차리고 보니 주변에 온통 회색과 검은색뿐이더라. 그런 무채색이 편하다고 생각해서 나도 모르게 손이 갔는지도 몰라. 나를 둘러싼 환경이 죄다 무채색이라는 것을 인지한 후에는 나 자신이 조금 불쌍하다고 생각했어. 이런저런 여행도 많이 가고 충동적인 짓도 여러 번 저질렀는데, 결국 마음속은 무미건조하게 시들어있다는 의미인 것 같아서."

정우가 살아온 삶은 다소 혼란스럽고 무질서했지만 세상을 바라보는 그녀만의 시각은 여전히 특별하고 독보적이었다.

"재미있는 관점이네. 그럼 나는 무슨 색깔인데?"

"처음에는 하얀색이라고 생각했어. 15년 전의 너는 손에 닿는 색깔은 무엇이든 흡수하고 그 색에 물들어버릴 것 같았거든. 순수했다고 할까? 영화를 많이 봐서 그랬는지 어딘가에 도취된 것 같은 느낌도 있었고."

"넌 똑같구나."

"뭐가?"

"옛날에도 나한테 순진하다느니 천진난만하다느니 그러면서 철부지 취급했잖아."

나는 오랫동안 숨겨왔던 야속한 마음을 슬쩍 드러냈다. 아마 정우는 한 번도 생각해보지 않았을 나의 속마음이었다.

"그게 불편했을 거라는 생각은 미처 못 했어. 나는 좋다는 표현이었는데 그렇게 느꼈으면 미안해. 그러고 보면 나는 그때도 너한테 늘 미안하다는 말을 달고 살았네. 그때도 비슷한 상황에서 말실수를 해서 너한테 사과했지."

정우는 늘 상대방에게 한 잘못을 바로 인정하고 사과할 줄 알았다. 하지만 나는 10년이 넘는 세월 동안 그녀에게 단 한 번도 사과를 한 적이 없었다. 어떤 면에서 정우는 여전히 나보다 멋졌고, 나는 그런 멋진 그녀의 뒷모습을 바라보며 따라가야 할 것 같았다. 나의 이야기가 거짓말이었음을 밝히던 순간에는 미안하다는 말을 했지만 그것은 상황을 모면하기 위한 것이었을 뿐, 정정당당한 사과가 아니었다. 너무 긴 세월이 흘러버린 후의 사과는 얼마만큼의 진정성을 담을 수 있을까. 나는 부끄럽고 창피해서 오랫동안 묻어두었던 옛이야기를 꺼내며 정우에게 미안한 마음과 당시의 내 심정을 얘기했다. 의도를 갖고 시작한 것은 아니었지만 너와 가까워지고 싶어서 그럴듯한 사연과 캐릭터를 만들어냈다고. 우리가 친구였던 몇 년 동안 진실은 숨길 수밖에 없었지만 친구이고 싶었던 그 마음만은 진심이었다고. 정우는 잠자코 듣더니 입을 열었다.

"델마와 루이스가 마지막에 둘이 손잡고 절벽 끝에서 차를 몰고 돌진하잖아. 비극일까, 해피엔딩일까?"

정우가 갑자기 툭 던진 질문에 나는 말을 잃었다.

"무슨 말이야?"

"둘은 죽었을까, 살았을까?"

"죽지 않았을까? 나는 마지막에 둘이 궁극적인 자유를 택했다고 생각했는데."

정우는 그럴 줄 알았다는 듯이 끄덕이며 말을 이었다.

"그래서 나는 네가 도취되어 있다고 하는 거야. 나는 두 사람이 죽었을지 살았을지는 관심 없어. 애초에 거기서 돌진하지 말았어야 한다고 생각해."

"그럼 자수했어야 한다는 말이야?"

"더 정확히 말하면 '살아남았어야 한다'는 거지. 자수를 해서 삶이 더 힘들어진다고 해도. 물론 사는 게 거지 같을 때가 있어. 나도 살면서 그런 때가 많았고, 그것이 내가 선택한 결과일 때도 많았지. 그래도 살아내면 어디로든 갈 수 있잖아. 계속 살아가야 자신이 저지른 실수를 만회할 기회도 생기는 거야."

"정확히 무슨 말을 하고 싶은 거야?"

"영화나 소설이 만들어내는 프레임은 어디까지나 메타포와 허구라는 거지. 현실에 사는 우리는 함께 불행할 필요도 없고 같이 손잡고 절벽으로 뛰어내릴 필요도 없어. 그냥 너는 너답게, 나는 나답게 현실을 성실하게 살다가 이따금씩 삶의 접점에서 마주치면 그때 서로 반갑게 인사하면 된다는 얘기야."

나는 여전히 알쏭달쏭한 표정으로 정우를 바라봤다. 정우는 한

결 더 편안한 표정으로 말을 이었다.

"네가 그때 나한테 어떤 얘기를 했든, 그동안 나에 대해서 어떤 마음이었든, 네가 너다운 모습으로 지금까지 잘 살아온 것이 난 기쁘다는 얘기야."

정우는 자신이 너무 멋을 부리느라 괜히 어렵게 말한 것 같다며 맥주를 들이켰다. 정우의 말을 곰곰이 되새기며 나도 맥주를 한 모금 마셨다. 역시 나의 생각은 틀리지 않았다. 정우는 항상 나를 간파하고 있었다. 내가 품고 있는 동경과 선망이 어떤 성질의 것인지 그녀는 정확히 알고 있었다. 도대체 왜 나한테 스쿠버 다이빙을 함께 하자고 했을까 하며 혼자서 진이 빠지게 고민하고 그녀의 눈치를 보던 시간이 전부 허무해졌다. 맥이 풀린 나는 맥주를 한 모금 더 마시고 물었다.

"그럼 나는 아직도 하얀색이야?"

"글쎄. 지금은 파란색 같기도 하고."

정우는 파란색이 주는 무해하고도 포용적인 인상에 대해서 설명했다. 그리고 바다는 실은 파란색이 아니라 빛의 푸른색 파장을 반사하기 때문에 파란색으로 보이는 것인데, 본래의 색이 아닌 다른 색의 영향을 쉽게 받는다는 점에서 하얀색과 닮았다고 말했다. 그것이 나와 비슷한 것 같다고도 덧붙였다.

파란색에서 출발한 이야기는 세계 곳곳에 있는 바다, 각양각색의 바다가 지닌 푸른빛에 대한 이야기로 이어졌다. 정우는 스쿠버 다이빙 자격증을 따면 먼저 동남아의 바다를 보러 갈 생각이라고 말했다. 예전에 필리핀에서 스노클링을 하며 얕은 바다를 체험해 보긴 했지만, 다음에는 더 깊이 내려가 보고 싶다고 했다. 동남아의 바다는 맑고 투명해서 아름다운 해양 생태계를 더욱 선명하게 경험할 수 있다고 설명했다.

푸른 물결 너머로 불어온 바람이 시원했다. 나는 시야가 트일 정도로 투명하고 맑은 바다가 어떻게 생겼을지 궁금해졌다. 투명한 물속이라면 숨이 막힐 것 같은 두려움과 답답함도 사라지지 않을까. 나도 스쿠버 다이빙 자격증을 따고 물속에서 더 자유롭게 유영할 수 있게 되면 알록달록한 산호와 열대어들을 마음껏 관찰할 여유가 생길 것 같다. 정우와 함께 가든, 나 혼자서 가든.

단잠

오지유

소설

오지유

꿈은 많고 하고 싶은 일들만 잔뜩 하며 살고 싶은 평범한 대학생입니다. 기록 남기는 것을 좋아하고 사람을 사랑해요. 새로운 도전과 만남을 즐깁니다. 그렇게 제 세계를 확장시켜나가면서 행복을 느끼는데, 정과 미련도 많아 과거를 곱씹으며 추억에 잠길 때도 자주 있습니다. 특별히 많이 좋아하는 것도 정말 잘 하는 것도 없지만, 이것저것 다 좋아하고 일단 해보는 것에 의의를 두는 편입니다. 돌아오는 여름에는 그림을 그리고 영화를 찍고 연극을 올릴 예정입니다. 시간이 된다면 여행도 다니고 싶어요. 아직은 철 없이 즐겁게 살려고요.

단잠

날카로운 음의 바이올린 연주와 함께 음악은 절정에 치달았고, 소망은 선율과 어우러지며 우아하게 팔을 뻗었다. 반쯤 열린 창에서 새어들어온 햇빛이 거울에 비친 소망의 손끝에서 춤을 추었다. 이어서 소망은 사뿐히 착지하여 턴을 완성시키다가 거울 속 자신과 눈이 마주쳤다. 거울 속 얼굴의 미소는 조금의 흐트러짐 없이 완벽했으나, 소망은 갑자기 실제 자신과의 이질감을 느꼈다. 황홀함을 가득 담은 표정이 한 순간에 일그러졌다. 동시에 발 끝 하나로만 지탱해오던 체중이 춤을 춰 온 세월만큼이나 무겁게 느껴져 소망은 균형을 잃고 무너져내렸다. 10년 전 발레를 처음 배웠을 때조차도 하지 않던 실수였다. 이상하다. 이런 초보적인 실수를 한 것도 이상하고, 거울 속 낯선 자신의 얼굴도 이상하고, 매일같이 발레를 연습해온 자신의 인생이 한순간에 이상하게 느껴졌다.

무엇을 위해 이 의미없는 몸짓들을 반복하고 있던 것일까. 할 줄 아는 것이, 할 수 있는 것이 발레뿐이어서 어느 순간부터 소망은 발레만 했다. 소망에게 설렘과 두근거림은 더이상 춤과 어울리는 단어가 아니었다. 토슈즈의 얇은 끈이 서서히 발목을 조여오는 것을 느껴졌다. 소망은 문득 자신이 아름답고 견고한 오르골 속에 갇혀 제자리에서 돌기만을 반복하는 발레리나 모형같다는 생각을 했다. 우아하나 껍데기뿐인 그런 발레리나 모형.

줄곧 흘러나오던 음악도 어느새 끝이 나고, 그 긴 적막을 채운 것은 허탈감이었다. 울적해진 기분에 소망은 창을 확 열어 젖혔다. 햇빛이 아무도 없는 오전 8시의 거리를 눈부시게 비추었다. 밝은 햇빛은 공허한 거리와 대조되어 이를 더욱 강조해주었다. 작년이었다면 무척이나 이상한 광경이었을 것이다. 무릇 오전의 거리란 출근하는 직장인들과 등교하는 학생들, 그리고 그 밖의 온갖 사람들이 한데 뒤엉켰다가 스쳐지나가는 정신없는 곳이니. 그러나 고요함만이 존재하는 이 도시는 지금 잠들어 있다.

'단잠'이 유행한 지도 어느덧 1년이 다 되어가지만, 연구원들이 잠의 병증에 대해 알아낸 사실은 여전히 몇 가지 없다. 대다수의 연구원들은 치료법과 백신은 물론, 감염 경로와 전염 여부를 밝혀내기도 전에 잠들었다. 유일하게 확신할 수 있는 사실은, 단잠에 감염된 사람들은 모두 극도의 행복을 느끼면서 춤을 추다가 궁극적으로는 잠에 든다는 것이다. 단잠은 높은 감염률을 보였고, 많은 사람들이 잠에 빠지면서 경제 및 교통 마비를 시작으로 순식간에 모두의 일상이 파괴되었다. 그리고 세상 사람들은 크게 두 부류로 나뉘었다. 잠이 든 사람과, 단잠에 빠지지 않기 위해 집 안에서 숨어 지내는 사람. 오로지 최소한의 인력으로 운영되는 배급소의 택배차만이 일주일에 한 번 씩 텅 빈 거리 구석구석을 희미한 전조등으로 비추며 거리를 누빌 뿐이다. 그렇게 도시가 잠들었다.

그러나 오늘은 무엇인가 새로운 것이 소망의 눈에 들어왔다. 길 건너편에 있는 버려진 집의 화단에, 무성히 피어난 잡초들 사이로 자그마한 푸른 싹이 군데 군데 돋아나 있었다. 기껏해야 새끼손톱 크기의 새싹은 너무 작고 연약해 자칫하다가는 발견되지 못하고 넘어가기 쉬웠다. 그러나 여태 다른 대상을 찾지 못한 채 쓸쓸한 거리만 비추던 햇살이 작은 싹을 따뜻하게 감싸며 힘껏 밝혀 준 덕에 새싹은 조심스럽고도 강력하게 자신의 존재감을 드러낼 수 있었다.

그 집에 살던 노인은 이 도시의 첫 감염자로, 시민들의 두려움과 원망이 섞인 눈초리를 받으며 입원하였다. 노인의 한 달 행적은 대중들에게 샅샅이 공개되었고, 대중들은 기다렸다는 듯이 달려들어 노인의 모든 행동에 맹렬한 비난을 퍼부었다. 그들이 거쳐간 자리와 사람들 역시 기피 대상이 되었고 도시는 공포로 물들었다. 물론 단잠에 감염된 노인은 행복감에 젖어들어 이런 상황에서도 아무런 타격이 없었다. 대신, 죄인이 된 노인의 손녀는 격리시설에 쫓기듯 들어갔고 이후의 소식이 들려오지 않은 채 빈 집만이 제 자리를 지킨 지 어느덧 1년 째였다. 이렇게 재앙의 시발점이던 이 집에서 갑작스레 피어난 작은 싹에 소망은 자신이 기계적으로 춤만 추다가 드디어 헛것을 보는 지경에 이른 것은 아닐까 생각했다.

소망은 창밖의 새싹에 눈을 떼지 못 한 채 천천히 커튼을 친 뒤 창가에서 벗어나 화장실로 들어갔다. 지금 이 도시의 수도시설은 전기 난방과 마찬가지로 원활하게 작동하지 못하고 차가운 물만을 힘겹게 뱉어내고 있었다. 찬물을 연거푸 얼굴에 끼얹자 얼음장처럼 차가운 감촉이 얼굴 곳곳에서 미끄러지며 정신을 맑게 해주었다. 혼란으로 휘몰아치던 감정들도 차차 가라앉았고, 고개를 들어 쳐다본 거울 속의 얼굴에서도 아까 느꼈던 이질감은 옅어져 있었다.

소망은 희미하게 미소를 짓고선 다시 창가로 걸어가 커튼을 걸어 젖혔는데, 이내 아까보다 더 소스라치게 놀라고 말았다. 작은 새싹이 여전히 그 자리에 있는 것은 물론, 새싹의 옆에서 제 또래의 한 여자아이가 허리를 굽히고 화단에 물을 주고 있었다. 근 1년만에 처음 마주하는 타인이었다. 아이의 다갈색 머리카락을 따라 햇빛이 흘렀고, 봄바람에 머리칼이 가볍게 흩날렸다. 아이는 화단의 구석구석에 물을 다 뿌린 뒤 만족스러운 미소를 지으며 일어나 소망 쪽으로 몸을 돌렸다. 아이의 반짝이는 눈과 그런 아이를 넋 놓고 쳐다보던 소망의 놀란 토끼눈이 투명한 유리창을 사이에 두고 마주쳤다. 당황한 소망은 그대로 얼어붙고 말았고, 아이는 그런 소망의 심정을 아는지 모르는지 활짝 웃으며 소망이 있는 창가로 다가왔다. '안녕!' 창에 가로막혀 정확하게 알아듣는 것은 어려웠지만 입 모양으로 미루어 보았을 때 그 아이는 분명 그렇게 말하는 듯했다. 마스크조차 쓰고 있지 않은 아이는 완전히 무방비 상태였다. 소망은 마치 유령을 본 것 마냥 놀라며 자신도 모르게 뒷걸음질 쳤다. '저 아이는 대체 어디서 갑자기 나타난 것이며, 마스크와 보호장구는 왜 하나도 착용하지 않고 있는 것인가. 설마 이미 감염된 환자인가? 내가 지금 맞닥뜨린 상황이 정말 현실이긴 한 걸까?' 짧은 순간에 오만가지의 생각들이 소망의 머릿속을 휘져었다. 소망은 황급히 커튼을 쳤다. 그 짧지만 강력했던 순간이 소망과 새랑의 첫 만남이었다.

그 날을 기점으로 소망은 오전 발레 연습에 집중하는 대신, 매일같이 화단에 물을 주는 새랑의 모습을 창문을 통해 엿보았다. 새끼손톱만 하던 새싹이 엄지손가락 크기만큼 자랐을 때까지 새랑을 지켜 본 결과, 소망은 새랑이 감염자가 아니라고 판단을 내렸다.

'단잠' 감염은 크게 초기, 중기, 말기로 나뉜다. 단잠의 초기 단계에서 감염자들은 일상의 사소한 것들에서 과도한 행복감을 느낀다. 화단에 물을 주는 새랑의 모습 역시 행복해 보이기는 하지만, 어딘가 초점이 맞지 않는 눈으로 웃으며 잠시도 가만히 있지 못 한 채 들떠 있는 감염자들과는 다르다. 새랑의 행복은 편안하고 안정적이다. 그리고 감염자들이 넘치는 행복감을 주체하지 못한 채로 온몸을 비틀면서 기괴하게 춤을 춘다면 그때부터 중기 단계가 시작되었다고 볼 수 있다. 일반적으로 사람들이 춤을 추는 행위를 통해 행복감을 느끼는 것과는 정반대의 선후 관계이다. 이때 춤의 양상은 다양한데, 양팔을 휘젓거나 겅충겅충 뛰어다니는 사람도 있고, 우아한 곡선을 그리며 느린 템포로 춤을 추는 사람도 있다. 감염자들은 모두 저마다의 방식으로 자신 안에 내재되어 있던 에너지를 춤을 통해 발산한다. 그러나 마지막 말기 단계에서 그들은 모두 일관되게 잠이 든다. 이 잠이 일반적인 수면과 다른 점은 어떠한 자극에도 깨어나지 않고 한없이 지속된다는 것이다. 인지 상태만 멈추었을 뿐, 뇌에서는 어떠한 손상도 발견되지 않는다는 점에서 혼수상태와는 분명히 다른 개념이다. 그리고 단잠은 초기 단계의 증상이 발현되기까지 평균적으로 약 5~7일 정도의 잠복기를 가진다.

소망은 자신이 알고 있는 단잠의 병증과 비교하며 매일같이 창밖의 새랑을 관찰했다. 시작은 작은 호기심일 뿐이었는데, 점차 새랑과 대화를 나누어 보고 싶다는 욕망이 소망의 마음 속에서 싹트기 시작했다. 원래의 소망이었다면 집 밖을 나서는 것은 상상조차 하지 못하였을 것이다. 그러나 처음 발레에 회의감을 느낀 그날 이후로 소망은 자신의 무료한 삶에서 전환점을 찾는 것이 절실해졌다.

　소망은 잠복기인 일주일 하고도 나흘을 더 기다린 끝에 밖으로 나가 볼 용기를 낼 수 있었다. 마스크를 비롯한 온갖 보호장구를 착용한 소망은 창을 열고 잠깐의 고민 후에 조심스럽게 창 밖으로 뛰어내렸다. 1층은 오랜 세월 발레를 해온 소망이 충분히 가뿐하게 착지할 수 있는 높이였다. 소망의 부모님은 평소 방해를 하지 않기 위해 연습 시간에 소망의 방에 절대 들어가지 않는다. 때문에 소망은 들킬 걱정 없이 이런 일탈을 벌일 수 있었다.

　소망은 오늘도 어김없이 화단 가꾸기에 열중하고 있는 새랑에게 다가가 말을 걸었다. 물론 너무 가깝지는 않게, 나무 세 그루가 들어갈 정도의 거리는 유지한 채였다. "안녕. 난 이소망이야. 너는 어떻게 이렇게 무방비한 상태로 태연하게 돌아다닐 수 있어? 단잠이 무섭지도 않아? 화단은 왜 가꾸는 거야?" 이렇게 단도직입적으로 물어볼 생각은 없었으나, 오랜만에 타인에게 말을 걸어보는 상황에 저도 모르게 잔뜩 긴장한 소망은 속사포처럼 질문을 퍼부었다. 갑작스럽게 창 밖으로 나와 자신에게 말을 건 소망에게 놀랄 법도 한데 새랑은 별다른 동요를 보이지 않았다. 새랑은 오히려 작은 얼굴에 큼지막한 웃음을 지은 채로 소망을 한껏 반기며 인사했다. "안녕! 드디어 나왔네. 너 맨날 창문 뒤에서 훔쳐 보던 거 다 봤어. 난 한새랑이라고 해."

　마스크를 뚫고 나가느라 뭉개진 소망의 말과는 대조적으로 높고 카랑카랑한 새랑의 목소리가 탁 트인 거리로 시원하게 울려퍼졌다. "왜 화단을 가꾸냐고? 그야 당연히 화단에는 꽃이 자라야 하고, 나는 꽃을 키우는 것을 좋아하니깐! 그나저나 오랜만에 사람 만나니 너무 반갑다. 다른 사람과 대화를 하는 게 얼마만인지!" 엄밀히 따지자면 둘이 아직 대화다운 대화를 나눈 것은 아니었지만, 새랑은 벌써부터 무척이나 들뜨다 못해 감격에 찬 모습이었다.

"아니 근데 지금 이렇게 감염병으로 온 도시가 잠든 상황에서 화단 가꾸기가 대체 무슨 의미가 있어?" 소망은 자신의 질문이 새랑에게 너무 공격적으로 들리지는 않을까 걱정하며 조심스레 말을 꺼냈다.

"나는 비록 우리가 이런 재난 상황에 처해있더라도, 아니 오히려 이런 재난 상황일수록, 일상적인 행동을 계속하다 보면 일상을 되찾을 수 있을 거라고 생각해. 그리고 무엇보다, 화단을 가꾸면 나는 행복해!" 새랑이 한 치의 고민도 없이 바로 답했다.

'행복'. 현재 소망의 가족은 물론 대부분의 비감염자들이 기피하는 대상이다. 단잠의 초기 단계가 행복감을 주 증상으로 시작하기 때문에 대중들 사이에서는 '감염이 일반적인 행복감에서부터 유발된다'는 가설이 기정사실처럼 여겨지고 있다. 단잠 출현 전에도 '행복 바이러스'라는 단어가 널리 쓰였듯이 행복의 전염성을 믿는 사람들도 많기 때문에, 의학적으로 밝혀진 바는 없으나 사람들은 가급적 외출을 피하고 어쩔 수 없는 상황에서는 마스크를 비롯한 각종 보호장구들로 온몸을 감싼 채로 밖에 나간다. 더불어 감염의 위험을 피하고자 일상에서 최대한 행복감을 느끼지 않도록 조심한다. 친한 사람들과 너무 오래 함께 있지 않도록 주의하는 것은 물론, 영화와 독서 등 혼자 즐기는 취미도 가급적이면 자제하는 편이다. 궁극적인 삶의 목표이자 원동력이었던 행복을 이제는 다들 두려워한다. 점차 단조롭고 매일 똑같은 일상이 반복된다.

그런데 바로 그 행복이 매일같이 화단을 가꾸는 이유라니. 소망은 도무지 납득을 하기 힘들어 물었다.

"행복? 행복은 위험하잖아. 너는 단잠에 걸려도 상관없어?"

"나는 사람들이 행복하지 않으려고 노력하는 이 상황이 정말 바보같다고 생각해. 평생 행복을 느끼지 못 한다면 사는 게 무슨 의미가 있겠어."

소망은 말문이 막혔다. 어쩌면 자신이 요 근래에 느꼈던 회의감이 다 행복을 느끼지 못하는 데에서 기인한 것이 아닐까 하는 생각도 들었다.

"너는 어떤 때에 행복해?" 이번에는 새랑이 물었다. 역시 소망이 대답하기 어려운 질문이었다. 발레를 처음 시작한 10년 전이라면, 당당하게 '춤'이라고 이야기 할 수 있었을 것이다. 그때부터 소망의 인생을 관통하는 것은 줄곧 춤뿐이었다. 그러나 소망의 일상을 계속해서 굴러가게 해주던 그 춤이라는 발판이 한 번 비틀거리기 시작하자 소망은 춤 뿐만 아니라, 자신의 단조로운 인생 그 어디에서도 행복을 찾기 힘들었다. 소망이 대답이 없자 새랑이 말을 이었다.

"사실 나, 네 인터뷰 영상 본 적 있어. 유명하잖아. 한국 무용계에 한 획을 그은 거장 부부의 딸이자 한국 발레의 떠오르는 유망주. 연습 정말 열심히 하더라. 다른 건 하나도 안 하고 거의 하루 종일 춤만 추던데? 춤 출 때 행복해?"

"춤? 좋지…." 자신이 더 이상 춤을 출 때 행복하지 않다는 것은 소망 자신조차도 알게 된 지 얼마 되지 않은 비밀인데 어떻게 이렇게 바로 탄로가 난 것일까. 그 사실은 들키게 된다면 왠지 모르게 큰 일이 날 것만 같아 부모님에게도 줄곧 필사적으로 숨겨오고, 스스로를 어르고 달래며 외면해오던 것이었다. 소망은 온 얼굴이 홧홧거리는 수치스러움을 느끼며 굳은 표정으로 대답을 얼버무렸다. 그 거짓된 긍정의 대답을 직접 내뱉는 순간 소망은 마치 연달아 피루에트를 할 때처럼 속이 울렁거리는 것을 느꼈다. 그렇게 소망은 자신이 줄곧 부인해 오던 사실을 실감할 수 있었다. '춤이 좋다'. 소망 자신도 거짓이라고 여기는 말인데 어떻게 새랑을 속일 수 있을까. 새랑 역시 소망이 거짓말을 했다는 것을 눈치챈 듯했다.

그날부터 둘의 비밀스러운 만남이 소망의 오전 연습 시간마다 이루어졌다. 둘은 도시로 나가 감염 전에는 일상이었던 일들을 하나씩 해나갔다. 여태까지 소망은 춤 이외의 취미를 가져본 적이 없는 것은 물론이거니와, 연습에 몰두하느라 평범한 일상을 누리지도 못했었다. 소망은 '춤' 대신 자신을 행복하게 만들어줄 수 있는 것을 찾고 싶어졌다. 새랑은 이런 소망에게 자신의 소소한 기쁨들을 모조리 알려주려는 듯했다. 집 밖은 소망에게 넓은 무대이자 새로운 세상이었다. 다만 대부분의 건물이 전기가 잘 들어오지 않았기에 그들은 주로 공원을 돌아다니며 놀았다. 공원에서는 물론 그 어디에도 둘을 제외한 다른 사람은 없었고, 길가의 상점들도 모두 굳게 잠겨 있었다. 적막한 도시를 걸을 때면 두려움이 들기도 했지만 이와 상반되는 자유로움이 소망을 가득 채웠다.

새랑은 항상 집에서 무언가 놀거리를 하나씩 가져왔다. 오직 둘뿐인 공원에서 하루는 배드민턴을 했고, 하루는 자전거를 탔다. 나무 아래에 기대어 사랑에 관한 옛 시들을 읽고 엉망인 솜씨로 기타를 퉁겼다. 다른 생물체도 만났다. 운이 좋으면 적막한 공원 한가운데를 가득 울려퍼지도록 지저귀는 작은 새들 뿐만 아니라, 어디선가 야옹거리며 나타나 그들의 무릎에 얼굴을 비비는 길고양이까지 볼 수 있었다.

소망은 제법 행복했다. 아니, 집 안에 틀어박혀서 아무도 봐주지 않는 춤을 의미없이 연습할 때에 비하면 많이 행복했다. 다만 10년 전 처음 춤을 췄을 때의 전율과 같은 느낌은 다른 그 어떤 행위에서도 받을 수 없었다. 아쉬움이 마음 깊은 곳에서 약하게 일렁거렸다. 하지만 각자 집에서 가져온 과일 몇 조각, 빵 두어 조각으로 조촐하게나마 피크닉 기분을 내고, 수개월 방치된 듯 한 먼지 낀 차창에 손가락으로 서로를 그리거나 하며 웃고 떠들다 보면 아쉬움도 어느 정도 가시곤 했다.

그리고 새랑 혼자 가꾸던 화단을 둘이 함께 돌보게 되었다. 새싹은 이제 제법 커 무언가를 피우려는 듯 봉오리를 내밀었고, 봉오리를 둘러싸고 소망과 새랑이 틔워낸 새로운 새싹들이 작게 돋아났다. 소망은 첫 만남 때 새랑이 했던 행복에 관한 이야기를 어렴풋이 이해할 수 있었다.

그러나 항상 행복한 기분만 드는 것은 아니었다. 상황이 상황이다 보니, 행복 사이에서 틈틈히 단잠에 대한 걱정도 스멀스멀 올라왔다. 사소한 일상에서는 큰 행복을 느끼기는 어려워 괜찮을 것이라고 애써 믿음을 굳혀온 소망이었지만 자신이 행복하다는 것을 인지할 때면 불안한 마음이 함께 들었다. 행복을 찾고 싶으면서도, 행복을 찾을까 봐 무서웠다. 게다가 마스크 하나 착용하지 않은 채 자유롭게 행동하는 새랑도 소망의 불안을 증폭시키는 요인 중 하나였다.

하루는 왜인지 모르게 평소보다도 더 불길한 예감이 들었다. 어제와 다를 바 없는 바람도 거슬리게 느껴졌고, 팔에 소름이 오스스 돋았다. 단잠이 유행하고 있는 상황에서 생각 없이 밖을 돌아다니는 일이 오늘따라 유독 잘못된 행동을 저지르는 기분이었다. 이 와중에 새랑은 나날이 더 거침없어졌다.

"우리 멀리 나가보는 거 어때? 이 도시 밖으로. 더 넓은 세상으로 가자. 그리고 어쩌면 거기에선 다른 사람들을 만날 수도 있어!"

새랑이 잔뜩 신난 얼굴로 외쳤다. 소망이 당연히 동의할 것이라고 생각하는 눈치였다.

"넌 왜 자꾸 위험한 짓을 하려는 거야? 차라리 여기에는 사람이 아무도 없어서 안전한 거라는 생각은 안 해봤어? 밖이 감염자들로 가득 차 있을지, 시위대가 포진해 있을지, 망한 세상이니 생각 따위 하지 않고 막 나가는 사람이 있을지, 어떤 혼란스러운 상황이 벌어지고 있는 건지 우리는 아무것도 모르잖아." 그렇지 않아도 불안한 터인데, 밖으로 나가자는 새랑의 철없는 제안을 듣자 소망은 말이 곱게 나오지 않았다.

"그리고 제발 보호장구 좀 착용하고 다녀. 이렇게 무방비하게 다니다가 감염되면 어떡할 거냐고." 벌써 몇 번 째인지도 모르겠는 자신의 걱정어린 충고에도 여전히 맨몸으로 나온 새랑의 모습을 보면 화가 치밀어오르기까지 했다.

"난 할머니가 감염된 뒤로 격리시설에서 줄곧 답답하게 갇혀지냈어. 거기서 온갖 보호구를 착용하고 검사란 검사는 다 받았어. 아무 이상이 없음을 확인받고 이제서야 자유로워졌다고. 난 다시는 보호구 같은 거 안 해." 새랑도 인상을 쓰며 단호하게 말했다.

"그러니깐. 너는 누구보다도 단잠이 얼마나 무서운지 알 거 아니야, 더 조심해야지!" 꺾이지 않는 새랑의 고집에, 새랑을 향한 걱정이 소망의 입에서 다소 사납게 튀어나왔다.

"나는 단잠이 나쁘다고 생각하지 않아. 우리 할머니는 원래 다른 병으로 고통스러워하고 계셨어. 단잠에 걸리시고 난 후에는 얼마나 행복하고 편안하게 잠에 드셨는지 넌 모를 거야. 우리 할머니께 단잠은 병이 아니라 축복이었어. 그런 단잠을 무서워하며 일상의 행복을 잃을 바에는 그냥 하고 싶은 것을 마음대로 하며 자유롭게 사는 게 나아." 새랑도 지지 않고 답했다.

"단잠에 걸려서 느끼는 그게 진짜 행복이야? 단잠이 주는 행복감은 다 거짓이야. 단잠을 받아들이는 건 단순히 현실이 무서워서 도망치는 도피 그 이상도 이하도 아니라고. 제발 정신 좀 차려." 이어서 소망이 공격적으로 외쳤다.

"네 말대로라면 우리 할머니는 그냥 겁쟁이인 거네? 적어도 감염자들은 춤을 출 땐 진심으로 행복해 해. 너는 춤을 추면서 아무것도 느끼지 못 하잖아. 네가 더 낫다고 볼 수 있어?" 새랑은 상처받은 듯한 표정으로 이렇게 쏘아붙이고는 자리를 떴다.

소망은 공원에 완전히 혼자 남았다. 소망의 옆에서 새랑이 타던 그네가 쓸쓸히 흔들거렸다. 울렁거리는 소망의 마음을 대변하는 듯했다. 무거운 마음을 안은 채 소망은 집으로 발걸음을 돌렸다. 자신의 걱정을 몰라주는 새랑이 미웠고, 뾰족한 새랑의 마지막 질문이 자꾸 머릿속에 맴돌았다. 무엇보다 서로 상처를 주고 받았다는 사실이 소망을 괴롭게 만들었다. 진심 어린 걱정은 통제를 벗어나 마음에도 없는 공격적인 말로 너무 쉽게 변해버렸다.

혼자 걷는 길은 둘이 걸을 때보다 훨씬 길게 느껴졌지만, 생각의 늪에 빠진 사이 어느새 눈 앞에 집이 나타났다. 여느 때와 다름

없이 소망은 집 밖에서 제 방 창문을 열고 몸을 밀어넣었다. 작고 가벼운 체구는 발레할 때는 물론, 부모님께 들키지 않고 창문으로 출입을 할 때에도 꽤나 유용했다. 그러나 오늘의 귀가 끝에 소망을 맞이한 것은 빈 방이 아니었다. 성난 얼굴의 부모님이 소망을 기다리고 있었다.

"너 제정신이니? 언제부터 하라는 연습도 안 하고 이렇게 싸돌아다닌거 야? 너는 이 사태의 심각성을 몰라? 게다가 첫 감염자의 손녀랑 어울린다며. 그 아이 단잠 옹호자 집단 클로버 아니니? 내가 내 딸이 그렇게 한심하고 불건전한 애랑 어울린다는 모욕적인 소문을 들어야겠어? 이건 우리 얼굴에 먹칠하는 짓이야. 사람들이 뭐라고 생각하겠어, 대체 생각이 있기는 하니?" 소망의 부모는 소망을 보자 속사포처럼 말을 퍼부었다.

이미 우울이 온몸을 점령한 상태이던 소망은 아무 대답도 하지 못하고 부모의 비난을 그저 가만히 듣고 있을 수밖에 없었다. 부모님의 말씀이 무겁게 귀에 내려앉으면서, 심장이 자꾸만 쿵쿵거렸다. 사실 틀린 말도 아니라는 생각도 들었다. 새랑은 점점 더 과감한 일들을 벌이려고 했으니. 그래도 친한 친구와 멀어진 날 부모님께 혼이 나기까지 하니 소망은 좀처럼 기운을 낼 수가 없었다. 손이 떨렸고, 핑 도는 눈물은 애써 참았다. 방으로 돌아와 문을 닫는 순간 외로움과 죄책감이 밀려들었다. 혼자 남겨진 기분이었다. 어떻게 하면 이 상황을 바로잡을 수 있을지 도무지 알 수가 없었다. 우울은 저 혼자 덩치를 불려가며 계속 커져나가기만 했다. 생각만

많아지는 하루였다. 우울이 온몸을 점령한

소망이 새랑과의 만남을 그만둔 지 대략 2주가량 시간이 흘렀다. 소망은 예전의 일상으로 돌아가 집 밖으로 나오지 않은 채 발레 연습만을 반복했다. 매일 다시 똑같은 하루들이 되풀이되었다. 이전과 달라진 점이라면 소망의 부모님이 소망을 감시하기 위해 수시로 소망의 연습실에 들어온다는 것이었다. 소망이 집 밖을 돌아다닌 사건으로 크게 혼난 이후에는 평소보다도 소망과 부모님의 사이가 더욱 냉랭해졌다. 소망이 제아무리 완벽한 독무를 보여도 부모님은 작은 미소 하나조차 지어 보이지 않았다.

어느 날 어떠한 징후도 없이 갑자기 나타난 부모님의 변화는 그래서인지 두드러지게 눈에 띄었다. 계속되는 부모님의 싸늘한 태도에 소망이 쭈뼛거리며 주테를 이어가다 잠깐 발을 헛딛었을 때였다. 묵직한 음악 소리만 흘러나오던 연습실 안을 갑자기 터져 나온 날카롭고 경쾌한 웃음소리가 가로질렀다. 동시에 놀란 소망이 일순 동작을 멈추었다. 두려워하는 눈빛으로 자신들을 바라보는 소망의 시선에도 부모님은 깔깔거리며 요란스럽게 웃기를 계속했다. 두 사람의 표정은 아이러니하게도 소망이 여태 봐왔던 모습 중에서 가장 행복해 보였다. 반면 처음 마주하는 감염자의 히스테릭한 행복에 소망은 공포감 외에 그 어떤 감정도 느낄 수 없었다,

단잠은 원래 이렇게 갑작스럽게 발병하는 것인가. 부모님은 언

제 어떤 경로로 감염된 것일까. 설마 나 때문인가? 신고를 해야 하나? 그러면 나는 이제 어떻게 되는 거지?

혼란스러웠다. 당국에서 제시한 감염관리 지침은 대한민국 인구의 과반수 이상이 감염된 현 상황에서는 무용지물이 된 지 오래였다. 하물며 일부 기득권층은 대중을 손쉽게 통제할 수 있는 현 재난 상황을 자신의 지위 유지를 위한 기회로 삼으려는 듯 감염관리에 의도적으로 손을 뗀 것 같아 보이기까지 했다.

소망은 아무런 결정을 내릴 수 없었고, 그 며칠 사이 부모님의 병세는 악화되어 중기 단계에까지 이르렀다. 늘 우아하면서도 강단있는 몸짓으로 곡과 하나로 어우러지게 춤을 추던 부모님의 과거를 상상하기 힘들 정도로, 단잠에 감염된 두 사람의 춤은 제멋대로였다. 아무런 음악도 깔리지 않은 상태에서 아무런 생각 없이 추는 춤은 소망이 보기에 춤이라기보다는 몸부림에 가까웠다. 춤에 있어서 뚜렷한 주관과 자부심을 가진 부모님에게는 감염 전 가장 두려워하고 기피하던 상황이었다. 그러나 정작 그 상황을 맞닥뜨린 지금, 두 사람은 그 누구보다도 행복했다. 그 사이의 모순적인 간극에서 혼란은 오로지 소망의 몫이었다. 그리고 무엇보다 소망은 홀로 남겨진 것 같은 이 상황이 막막하고 무서웠다. 춤을 연습하도록 몰아붙이던 부모님도 이제 없다. 그러면 무엇을 하며 하루하루를 보내지?

결국 소망은 다시 문을 열고 집 밖으로 나갔다. 사람이 절실했고, 새랑이 필요했다. 바깥세상에서 새랑이 가르쳐준 일상적인 행복들을 다시 느끼고 싶었다.

새랑을 다시 만나는 것은 쉬웠다. 새랑은 여전히 매일같이 그 장소, 그 시간에 화단을 돌보고 있었으니까. 소망은 새랑이 오기 몇 분 전쯤에 미리 화단으로 나가 먼저 꽃에 물을 주었다. 처음 소망을 놀라게 했던 그 새싹들은 어느새 꽃이 되었다. 둘이 함께 피운 새싹도 그 사이에 몰라보게 자랐다. 잠시 후에 찾아온 새랑은 소망을 보고 조금 놀란 눈치였지만, 아무런 질문도 하지 않고 물주는 일에 동참했다. 물 주기를 마치자, 새랑이 먼저 소망의 걱정을 알아주지 않고 상처주는 말을 내뱉은 것에 대해 사과했다. 소망도 자신의 잘못을 사과하고 그간 있었던 일들을 이야기 해 주었다. 저도 모르게 눈물이 한 두 방울 씩 떨어졌는데 어느샌가 따뜻한 손길을 내미는 새랑의 품에 안겨 엉엉 울고 있었다. 얼마인지 모를 시간이 지나고 조금 진정한 소망이 물을 머금고 햇빛에 반짝이는 꽃과 새싹들을 보며 나지막이 말했다.

"그래도 이걸 보니 꽤 뿌듯하다. 나 몰랐는데 너랑 이렇게 일상을 보냈을 때 많이 행복했던 것 같아. 행복을 알려줘서 고마워."

"그치? 이게 내가 화단을 가꾸는 이유야. 어쩌면 단잠에 걸리지 않는 건 이미 행복해서이지 않을까? 굳이 단잠에 걸릴 필요가 없는 거지. 그래서 나는 가끔 단잠이 행복을 잃은 이들에게 행복을 일깨워주는 장치가 아닐까 생각해. 감염병 유행 전에는 당연히 여기던 일상의 소중함을 깨닫게 해주기도 하고, 행복을 조심하는 과정에서 자신이 무엇을 할 때 정말 행복한지 생각해 보는 기회를 주니깐." 새랑이 미소를 지으며 생글거리는 얼굴로 말했다.

"나는 춤이 내 행복이 아닌 것 같아서 밖을 돌아다니면서 새 행복을 찾고 싶었어. 근데 항상 어딘가 부족한 느낌이라 실망스러웠거든? 근데 지금 생각해보면 내가 그동안 행복을 너무 거창하게 여겼던 것 같기도 해." 소망이 말했다.

"그래, 행복이 뭐 별 거 있나. 나 같은 경우에는 그냥 이렇게 좋아하는 사람들이랑 어울리면서 일상을 보내는 게 행복이야. 남들 시선 크게 의식 안 하고 좋아하는 일, 하고 싶은 일을 자유롭게 하면서 별 탈 없이, 큰 걱정 없이 평온한 일상을 사는 거지. 격리시설에 가보니깐 평범한 일상이랑 사람만큼 그리운 게 없더라. 일상 밖에 행복이 있다면 행복할 수 있는 사람이 얼마나 되겠어. 행복은 다 그냥 자기가 만족하기 나름인 것 같아." 새랑이 명료하게 이야기했다.

"근데 뭐, 이건 어디까지나 내 입장이고. 넌 춤에 원래 행복을 느끼다가 갑자기 회의감이 든 거야?"

"응, 단잠이 유행한 뒤에도 전처럼 연습을 계속했는데 내가 이렇게 열심히 한들 봐줄 사람도 없고 이게 뭐하는 건가 싶더라. 관객이 없는데 춤을 추는 게 무슨 의미가 있겠어."

"그러면 내가 관객할게. 보여주라! 네 춤이 궁금해."

새랑의 부탁에 소망은 머뭇거리다가 차이코프스키의 <꽃의 왈츠>를 선보였다. 그러나 곡의 중반부까지 가지도 못하고 그만두고 말았다. 즐거운 표정으로 경쾌하게 왈츠를 추고 싶지 않았다. 비록 새랑과 화해를 하기는 했으나 지금은 그럴 기분이 아니었다. 기대에 찬 눈으로 자신을 바라보는 새랑의 시선도 부담스럽게 느껴졌다. 관객이 있다면 완벽하게 춤과 연기를 완성해야만 할 것 같았다.

"아, 미안. 준비가 덜 된 것 같아. 누구에게 보여주기엔 완벽하지 않다." 갑자기 춤을 멈춘 자신을 의아하게 쳐다보는 새랑에게 소망이 답했다. 반은 진심이고 반은 변명인 이유였다.

"나는 완벽한 춤이 보고 싶은 게 아니라, 네 춤이 보고 싶은 거야. 아까 그게 네 춤이야? 솔직히 정말 잘 춘다는 생각이 들기는 하는데 어딘가 너랑 겉도는 느낌이야. 내가 춤에 대해 아는 건 없지만 뭐랄까 진정성이 부족한 느낌? 너도 그렇게 막 행복해 보이지도 않고. 관객이 생겼는데도." 새랑이 조심스럽지만 직설적으로 말했다. 새랑은 항상 소망의 허를 찔렀다.

"맞아, 나도 방금 느꼈어. 내가 여태 행복하지 않았던 건 내가 원하는, 나를 나타내는 춤이 아니라 부모님과 관객들이 원하는 춤을 보여주려고 애썼기 때문인 것 같아. 내가 처음 춤을 추고 싶다고 생각을 하게 된 계기는 정반대였는데 말이야. 내 감정을 표현하고 싶어서, 나를 드러내고 싶어서였는데 어느 순간부터 감정을 숨기고 짜여진 틀에 맞추어 춤추기만 했어." 소망이 말했다.

소망은 다시 일어나 서서히 몸을 풀며 강렬한 눈빛으로 내면 깊숙한 곳에서 울리는 리듬을 찾는다. 이내, 그 감각에 몸을 맡기고 첫 걸음을 내딛는다. 가볍게 땅을 밟고 미끄러지듯 천천히 움직인다. 팔과 다리는 이따금 공중을 가르며 때로는 강렬하게, 때로는 섬세하게 감정의 흐름을 고스란히 보여준다. 손끝 하나하나에 의미를 담아, 공기 중에 섬세하게 시를 쓰듯이 춤을 추고, 새랑은 완전히 몰입하여 소망의 춤을 읽는다. 공중으로 솟구치는 듯한 도약과 우아하게 굽이치는 몸짓. 소망의 몸은 감정을 그대로 반영하는 캔버스다. 매 동작마다 소망의 감정이 흘러나와 새랑에게 전달된다. 두려움, 걱정, 혼란, 안정, 그리고 행복이라는 모순적인 감정의 모음. 감정의 물결이 화단을 타고 흐르고 공원을 지나며 빈 도시 전체를 무대로 맴돈다. 클라이맥스에서는 모든 감정이 폭발하듯 소망의 동작에서 뿜어져 나오고, 춤의 마지막에서는 그 감정들을 다 해방시키듯 몸을 완전히 내던진다. 부모와 관객의 시선에서도, 단잠의 영향에서도 벗어난 채 오로지 소망의 자의지만으로 이루어낸 춤이다. 소망은 지쳐보이나, 두 눈은 반짝이고 얼굴에는 슬며시 미소가 올라온다. 그 어느 때보다도 만족스럽고 행복한 표정이다. 소망의 마지막 몸짓이 자아낸 바람에 화단의 꽃 두 송이와 그 주위를 둘러 싼 네잎의 클로버들이 기분 좋게 살랑인다. 이 순간만큼은 모두 행복하다.

인프제의 심연

이시현

에세이

이시현
따뜻하고 포근한 글을 쓰고 싶습니다.
감싸 안으면 마음이 누그러지는 폭신한 곰인형처럼,
조금은 유치하지만 말랑하고 마음이 편안해지는 글을 쓰고 싶습니다.

인프제의 심연

1

제주에서는 바다의 영향을 많이 받아서 그런지,
점점 내가 더 차분해져 가는 기분이 든다.
생각도 점점 더 단순해지고,
감정의 파도도 더 잔잔해지는 것 같다.

온갖 세상의 오물을 품고 있으면서도
항상 의연하고 담담하게 푸른빛을 띄고 있는 바다를 바라보고 있
노라면,
깊이를 알 수 없는 그 심연과 힘에 감탄하면서도
마음이 차분해지고 평온해진다.

육지에서라면,

실컷 감정을 토해내야만 없어졌던 마음들이

제주에서는,

푸르고 짙은 옥색 바다에 희석된 것 마냥

금세 흐릿해진다.

이전의 나는 무엇인가 불합리하고, 옳지 않다고 생각했던 나만의 기준에서 벗어나면

그것에 대해 굉장히 불편해했던 것 같다.

화가 나는 일이 있으면 친구에게 털어놓거나 때론 가족에게 털어놓기도 했다.

그렇게 하면 마음이 금방 풀릴 줄 알았다.

많은 사람들이 흔히들 하는 방법이니까.

하지만, 정작 그렇게 감정들을 쏟아내면 기분은 더 안 좋아졌다.

며칠만 지나면 잊혀지고 말 기억이 내가 그렇게 한번 입으로 말함으로 내 기억속에 각인되었다.

육지에서는 하루종일 여러가지 '말'들에 시달린다.

버스에서, 지하철에서, 회사에서, 집에서, 거리에서.

사람들은 보이는 것으로 생각하고, 판단하고, 결론지어 이야기한다.

그것은 때론 사실이 아닌 경우도 많다.

그 사실이 아닌 소문에 대해서 매우 불편해한 적도 있고, 억울해한 적도 있다.

육지에서 불면증으로 꽤나 고통받았던 적이 있었다.
외부의 계속되는 소음들이
나를 끊임없이 흔들리고 어지럽게 만들었다.

'너답지 않아!'
'나다운 게 뭔데?'라는 조금은 식상한 드라마 대사가 내 마음속에서 맴돌며
나는 대체 어떤 사람일까, 하는 의문을 품고 나를 찾는 고민을 여러 해 동안 했었다.
그도 그럴 것이 내 안에는 수많은 자아가 존재하니까.

나는 INFJ인데,
인프제는 원래 만나는 사람에 따라 그 사람에 맞추어서
최적화된 페르소나를 쓰게 된다.

나도 내 성격이 내향적인지 외향적인지,
적극적인지, 소극적인지 잘 모를 때가 많았다.
사람들이 생각하는 내가 진짜인지,

내가 생각하는 내가 진짜인지,
나답고, 자연스러운 게 무엇인지 모를 지경에까지 이르렀었다.

나의 내면을 바라보는 시간보다
외부의 소음에 맞추어서 나를 조율하고 그것에 끼워 넣어 억지로
살아갔다.
행복을 느끼는 순간보다 답답한 생각이 드는 순간들이 더 많았다.

하지만,
제주에서는 매일 매순간을 온전히 즐기고 집중할 수 있었다.
매끼 먹는 식사,
매 순간 보이는 풍경들.

매 순간, 현재가 아닌 미래를 생각해야만 했던 도시에서의 삶과는
전혀 달랐다.
도시에서는 항상 다음 할 일을 함께 생각하고,
사람들과 이야기할 때조차 그 자리와 상황에 맞는 대화를 하려고
매우 신경을 써야 했다.

내가 말하는 내용이 무엇이든 그것은 자유이지만,
내가 하는 말을 듣고 상대방이 어떻게 생각하고 판단할지는 내가
마음대로 할 수 없기에

굳이 하지 않아도 되는 말은 하지 않으려 노력했다.

그 자리를 지키지 않으면 쓸모가 없어지는 퍼즐조각처럼
내 자신도 어딘가에서의 딱 맞는 조각이 아니면 가치 없는 인간이
되는 것 같은 생각이 들었다.

착한 딸,
인정받는 직장인,
혹은 그 어떤 타이틀이라고 하더라도.
어딘가에 소속되어 그 자리에서 내 몫을 다해야 한다고 생각했다.

하지만,
나는 퍼즐조각이 아니었다.
내 안에 입혀지는 색, 그림, 그것이 무엇이든 나만의 가치, 나만의
의미가 있었다.
그것을 제주에서 생활하면서 깨닫게 되었다.

무엇이든 3개월이 되면
습관이 된다고,
그래서 진정한 변화가 일어난다고 그렇게 들었다.

이렇게 평온한 지금의 내가

평소의 평범한 나로 자리잡기를 바란다.

조금은 재미없어도,
항상 중심을 잡고 있는
마음이 여유로운 사람이 되고 싶다.

바람이 불어도
흥-
비가 내려도
흥-
그냥,
당연하게 항상
구름 위 그곳에서
하늘을 지키고 있는 태양처럼,
언제나 변함없이
평화롭고,
따스하고,
온전한 내가 되고 싶다.

2

생각해보면,

어렸을 때는 딱히 힘들여 무엇인가 아름다운 것을 정의하려고도 찾으려고도 하지 않았던 것 같다.

세상에 살아 숨쉬며 보고 느끼는 모든 것들이 아름다운 것이라고 생각했으니까.

아니,

어떤 것은 아름답고 또 어떤 것은 아름답지 않다고 구분 짓지 않았던 것 같다.

철이 들었다는 나름의 갑옷을 입으면서 사춘기라는 시절을 지나고,

내 안의 말캉하고 부드러워서 상처받기 쉬운 자아를 지키기 위해 외부의 시선에 더 신경을 씀으로써 도리어 소중한 내면의 소리를 외면하게 된 것은 언제부터일까.

고등학교때까지는 공부에만 집중하느라 외모에 대해 별로 신경 쓰지 않고 살았기 때문에

조금 덜 피곤하게 인생을 살았던 것 같다.

반 친구들도 딱히 모난 아이 없이 둥글게 둥글게 잘 지내면서 즐겁게 학교 생활을 했었다.

문제는 대학생이 되면서 시작되었다.

대학교는 고등학교 때까지와는 전혀 다른 세계였다.

'어른'이 된 것이다.

그곳에서는 나의 말투, 나의 옷차림 등의 표면적인 모든 것들이 나에 대한 평가가 되어 돌아왔고,

특히나 '유학생'이라는 나의 신분이 나의 행동 하나하나를 더 신경 쓰이게 만들었다.

내가 하는 말과 행동은 '유학생' 혹은 '한국인'으로 정의가 되니까.

그곳에서는 갑옷을 입지 않은 채로 내 알맹이를 드러내면,

마치 피부 표피를 다 드러내고 세상을 사는 것 마냥 쓰라리고 아픈 일들이 가득했다.

온전히 어른이지 않아도, 어른인 척 그렇게 갑옷을 입고 살아야 했다.

그래야 내 안의 나 자신을 지킬 수 있었다.

그리고 그 갑옷은 그때 그때 그 자리에서 타인이 원하는 혹은 기대하는 나의 다른 자아들,

개별의 페르소나여야만 했다.

진실된 나, 자연스러운 나를 추구하는 것과는 조금 동떨어진 환경이었다.

내가 내 입으로 무슨 말을 하건 내 의지에 의한 것이지만
내 입을 통해 나온 말을 듣고,
그들이 나를 어떻게 판단할지,
어떻게 생각할지는 내 영역 밖의 일이었으니까.

일단 큰 갈등을 겪지 않으려면
그들의 퍼즐판에서 나는 알맞은 모양으로 자리잡아 모나지 않은
조각이 되어야만 했다.

내가 세상의 중심이어서 세상이 내 주위로 돌아가는 것이 아닌,
나와는 상관없이 돌아가는 세상에서 위성처럼 주위를 맴돌며 방
황했던 시절.

지금도 내가 중심인 세상에 완전히 몰입해서 살고 있는 것은 아니
고,
또 살면서 언제나 나에게만 집중해서 사는 것은 불가능하다는 것
을 나도 잘 알고 있다.

하지만 적어도 나를 정의하거나 나에 대한 평가를 할 때에는
그것이 타인의 시점이 아닌,
내안에서 오는 객관적인 평가여야만 한다고 생각한다.

다른 사람들이 뭐라고 평가하던,

나는 내 외모에 대해서 열등감을 가진 적이 없다.

그 시간 그 자리에서 나는 내가 될 수 있는 최선의 나였기 때문이다.

누군가 나를 외모 따위로 평가한다면

그것은 그 사람이 살고 있는 세상이

외모로 사람에 대한 평가 순위가 정해지는

재미없고 유치한 세계에서 살고 있는 사람이라는 의미이기 때문에

그가 하는 평가는 나에게 별로 중요하지 않다.

친절하지 않은 세상의 차갑고 날카로운 시선 속에서

진정으로 자유로워지고 편안해지려면,

그래서 내 안의 상처받기 쉬운 어린 존재를 지키고 싶다면,

지금 살고 있는 내 세상에서 나 자신이 축이 되어야 하리라.

중심은 휘둘리지 않는 법이다.

중심은 흔들리지 않는 법이다.

중심은 가장 덜 움직이며,

그래서 가장 덜 힘들다.

축에서 멀어질수록

더 많이 움직이고 더 많이 힘들 수밖에 없다.

이 간단한 이치를 알고 있는 사람은 그리 많지 않은 세상인 듯하다.

06

장미빛 인생

최인혜

소설

최
인
혜

불어불문학전공. 대학 시절 카뮈와 바슐라르, 푸코, 데리다를 거쳐 에드가 모렝의 복합적 인류학을 만나 생명의 논리인 복합성의 사유에 매료되어 논문을 썼다. 육아와 일을 병행하느라 지칠 때 폴 오스터를 만나 소설의 매력에 빠져들었고, 이후 스콧 피츠제럴드, 버지니아 울프, 빈센트 말레이, 이디스 워튼의 작품을 거쳐 최근에는 아니 에르노와 박완서의 단편소설을 읽고 있다. 소설은 다양성이라는 생명의 원리를 보여주는 통로이자 인간의 비합리성과 모순, 광기까지도 보듬고 천착하는 작업이라고 생각하며 문학의 다양성이 좀 더 열린 세상을 만들수 있으리라 믿고 단편소설의 매력에 빠져 작업하고 있다.

장미빛 인생

1. 땅콩버터

새벽 두 시. 초희는 잠에서 깨어 이불 속에서 뒤척이며 캄캄한 어둠을 멍하니 바라보았다. 창문 너머로 누렇게 뜬 달이 희미하게 침대를 비추었다. 매일 반복되는 불면증에 더이상 저항할 수가 없었다. 올해 들어 부쩍 입맛도 없고 외로움도 더 타는 것 같고 드라마를 보다 슬픈 장면을 보면 주체할 수 없는 눈물로 얼굴이 온통 뒤범벅되는 일이 늘었다. 두 아이 뒷바라지하며 정신없이 삼십 년이라는 세월을 보내고 이제 겨우 숨돌릴 시간이 주어졌고, 그토록 갈망했던 자신만의 시간이 펼쳐졌는데, 왜 가슴 속 깊이 외로움이 광풍처럼 휘몰아치는지 도저히 이해할 수 없었다. 그동안 못했던 수영도 다시 시작했고 첼로도 배우고 봉사활동도 했다.

매일 시간표를 짜고 훈련하듯 계획대로 취미생활과 봉사활동으로 삶을 꾸려나갔다. 몸을 바쁘게 움직이며 자신에게 쉴 틈을 주지 않았다. 오래전부터 육아와 일로 단련이 되어 있던 터라 몸은 힘들지 않은데 여전히 마음 한구석에는 구멍이 뚫린 듯 공허감이 파도처럼 밀려왔다. 아이들은 그토록 원했던 유학 생활을 문제없이 해냈고 보란 듯 아이비리그를 졸업하고 취업을 해서 그동안의 고생을 깔끔하게 보상해주지 않았던가! 하지만 아이들 자랑거리로 들떠 있던 시간이 지나가고 이제 각자의 삶을 살아가야 한다는 것을 깨닫는 순간 홀로 살아가야 할 시간이 죽음처럼 두려워졌다. 삶의 마지막 골목길로 접어들었다는 현실을 마주하자 이제까지의 삶이 초라하고 하찮게 느껴지는 것이다.

초희는 우울한 생각에 젖어 들다 갑자기 격렬한 허기를 느꼈다. 벌떡 일어나 냉장고를 열고 땅콩버터를 찾아 한 순가락을 크게 떠서 입속에 집어넣었다. '땅콩버터의 맛이 왜 이렇게 씁쓸한 거야!' 초희는 불현듯 어릴 적 혀 위에서 스르르 녹아들던 부드러운 땅콩버터의 맛이 떠올랐다. 잠시 땅콩버터를 입에 넣고 오물거리며 행복해하던 여섯 살의 초희로 곧장 미끄러져 들어갔다.

1970년대 초반 부모님이 일하느라 초희를 맡겨두었던 외할아버지가 살던 동네는 인천 월미도 북성동, 북성포구 해안가 마을이었다. 월미도가 내려다 보이는 언덕에는 판자와 양철로 엉성하게 덮은 지붕들이 들쑥날쑥하고, 좁은 돌계단으로 이어진 꼬불꼬불

한 골목길 옆으로는 검붉은 맨드라미가 솟아있었다. 집집마다 색색깔의 빨래들이 줄지어 걸려 바닷바람에 펄럭이는 광경은 어린 초희에게 한 점의 그림처럼 아름다웠다.

게딱지처럼 붙어있는 쪽방촌에서 외할아버지 집은 그나마 일본식 목조주택처럼 근사했다. 물론 방 한 칸 부엌 하나가 전부였지만 전망도 제일 좋은 꼭대기에 있었고, 방문을 힘차게 딛고 뛰어올라야 하는 다락방은 마을 아래를 한눈에 내려다 볼 수 있어서 어린 초희에게는 엄마의 품처럼 아늑한 곳이었다.

외삼촌 한 분과 이모 둘, 외할아버지와 꼬맹이까지 북적대는 하루가 끝나갈 무렵 초희는 다락방에 올라간다. 배를 깔고 누워 사우디아라비아로 일하러 가신 외삼촌이 보내준 내셔널지오그래픽 잡지를 들추다 보면 생전 처음 보는 신기한 풍경들이 펼쳐지고 언젠가 나도 세계 곳곳을 돌아다니는 탐험가가 되겠다고 꿈을 꾸다 어느새 스르르 잠이 든다. 가닿을 수 없는 미지의 세상에 대한 막연한 동경은 다락방 창문 너머로 지는 노을처럼 초희의 세상을 붉게 물들였다.

골목에서 뛰어놀던 초희는 갑자기 들이닥친 국방색 미군 트럭이 구호 물품을 바닥에 쏟아놓고 사라지는 것을 보고 뒤쫓아간다. 트럭이 저 멀리 사라져버리면 국방색 캔을 주워들고 부드러운 황갈색의 땅콩버터를 엄지손가락으로 꾸욱 눌러 퍼서 입으로 가져간다. 혀에 감기는 고소하면서 부드러운 치명적인 맛, 그 맛은 평생 잊을 수 없었다. 머릿속에 깊이 박힌 땅콩버터의 맛은 평생을 따라다니며 그 맛을 기억하라고 재촉하곤 했다.

이국적인 맛, 깊숙이 혀 속으로 끌어당겨 휘감는 관능적인 맛의 땅콩버터는 낡고 더러운 판자촌의 가난을 낭만적이고 매력적인 색감으로 물들이는 마법이 된다. 낡고 눅눅한 현실을 노오란 색감으로 물들이며 한없이 부드러운 몽상으로 생기를 불어넣고 살아갈 힘을 주는 것이다.

집 앞 계단 아래로 이어지는 골목을 따라가다 보면 차이나타운이 나타났다. 강렬한 붉은색으로 칠한 홍등이 주렁주렁 매달려 있는 대문을 열고 들어가면 중국집 식당에서 스며 나오는 느끼한 고기 냄새가 허기를 자극하고 중국말로 고함치며 시끄럽게 외쳐대는 화교들에게서는 삶의 의욕이 넘치는 듯 생동감이 느껴진다. 외할아버지가 사주신 왕만두를 한 입 가득 베어 물면 돼지고기와 부추의 맛이 입속에서 하나가 되어 포만감을 자극하며 행복감에 젖어 들게 한다.

더운 여름날, 초희의 온몸이 땀띠로 뒤덮일 때면 외할아버지는 집 앞 월미도 포구로 데려가 겨드랑이를 꽉 붙잡고 밑도 끝도 없는 바닷물에 여러 번 풍덩 담갔다 꺼냈다. 햇살이 내리쬐는 드넓은 해변에는 땀띠나 피부 가려움증을 바닷물로 소독하는 사람들로 북적였다. 찝찔한 바닷물이 입안으로 번지고 발아래 쪽은 컴컴한 바닷속으로 끝없이 빨려 들어갈 것 같아 와락 울음을 터뜨리고 만다. 겁을 잔뜩 먹은 초희는 울먹이며 징징대지만 외할아버지는 그저 껄껄 웃고만 계신다.

초희는 햇볕에 몸을 대충 말린 후 옷을 주워 입고 기다란 골목을 따라 굿판이 벌어진다고 하는 양옥집으로 쏜살같이 달려갔다. 마을 사람들로 북적이는 마당에 들어가 사람들 사이를 간신히 헤집고 맨 앞에 자리잡았다. 장구 소리와 꽹과리 소리가 귀청을 찢을 듯 요란하게 울리고 울긋불긋한 붉은 옷을 입은 무녀가 농악꾼들의 장단에 맞춰 천천히 둥근 모양을 지어서 춤을 춘다.

한참을 천천히 추다가 점점 빨라지는 리듬에 맞추어 위아래로 뛰기 시작한다. 장단이 빨라질수록 점점 격해지며 얼굴의 근육들이 미세하게 떨리더니 눈빛은 묘한 광기를 띠며 취한 듯 온몸이 걷잡을 수 없이 빨라진다. 무녀가 신명에 빠져들기 시작하자 구경꾼들도 홀린 듯 흥이 나기 시작한다. 둥둥 울리는 북소리와 징소리에 맞추어 무녀는 양쪽 손에 칼을 쥐고 어깨를 들썩이며 점점 빠르게 춤을 추더니 잠시 호흡을 가다듬고는 버선을 벗어 던진다. 그러고는 맨발로 쌍 작두날 위로 올라가 덩실덩실 춤을 추는 것이다. 어른 키를 훌쩍 뛰어넘는 높이의 목단에 걸쳐진 작두. 작두를 타는 무녀의 흰 종아리가 창백한 빛을 띠었다.

형형색색 나부끼는 깃발과 붉은색의 치맛자락과 도포, 탄식 소리가 여기저기서 새어 나오고 늦은 오후 석양에 붉게 물든 하늘과 사람들의 흐느끼는 소리가 뒤섞이며 울려 퍼지는 풍경을 초희는 넋을 놓고 바라보았다. 심장은 쿵쿵 뛰고 온몸의 피가 얼굴로 쏟아져 붉어진 두 뺨을 손으로 감싸고 바라보는 광경은 숨이 막히도록 처절하게 아름다웠다. 그때 불현듯 온몸을 휘감는 뜨거운 피가 위로 솟구치며 머릿속이 희뿌연 안개로 뒤덮인 듯 맥이 쏙 빠졌다.
초희는 덩달아 이 느낌을 쏟아내고 싶어 벌떡 일어나 어깨를 들썩
이고 발끝에 힘을 꼿꼿이 준 채 사뿐사뿐 춤을 추기 시작했다.

2. 함박눈

아침 밥상을 차리다 아버지 전화를 받고 갑자기 가슴이 답답해
진 초희는 냉수에 얼음을 가득 채워 넣고 벌컥벌컥 들이마셨다. 오
랜 세월 동안 가슴에 묵혀뒀던 분노가 치밀어 올라 밥상을 밀어
놓고 심호흡을 해야 했다. '아니, 내가 무슨 동네 북이라도 되나!
문제를 일으키는 사람은 따로 있고, 왜 맨날 내가 뒤처리를 도맡아
야 해!'

초희가 외동딸이라 아버지는 사촌 오빠인 관혁을 아들처럼 의
지했다. 강화도 교동인 사촌 오빠네 집에 놀러 가면 아버지는 어김
없이 관혁을 무릎에 앉히고 보란 듯이 안아주셨다. 그리고 주머니
에서 만 원짜리 지폐를 꺼내 관혁의 손에 꼭 쥐여주고 '우리 집안
의 든든한 기둥이지, 장차 큰 인물이 될 거야'라며 희죽거리셨다.
초희는 당장이라도 의기양양하게 웃는 관혁오빠의 얼굴로 달려들
어 할퀴고 싶은 마음이 굴뚝 같았다. 하지만 초희는 그저 아버지와
관혁 오빠를 부러운 듯 물끄러미 바라볼 수밖에 없었다.

지금도 아버지는 관혁 오빠의 일이라면 언제든지 달려갈 기세

다. 결국 오빠는 사고를 쳤고 아버지께 도움을 요청한 것이다.

"네 오빠가 사업을 하다 사기를 당해 궁지에 몰렸지 뭐냐. 당장이라도 죽을 지경이니 어떡하겠니, 도울 수밖에, 안 그래?"

초희는 아무리 어려운 일이 있어도 부모님께 내색을 하지 않았다. 부모님을 일찍 여의고 배운 것도 없이 무작정 시골에서 상경한 아버지와 섬마을 출신인 어머니의 생활은 먹고 살기 위해 안 해본 것이 없는 험난한 여정이라는 것을 알기 때문이었다. 쌀가게, 구멍가게, 이발소까지. 배운 것이 없는 부모님은 닥치는 대로 삶을 꾸려나가야 했다.

그러다가 80년대 건축 노동자로 일하시던 아버지는 어깨너머로 배운 건축일로 빌라를 지어 팔았고, 건축경기가 붐을 이룰 때 제법 큰 돈을 만질 수 있었다. 덕분에 고등학교 졸업하면 시집이나 가라고 하던 아버지를 거역하고 대학에 들어갈 수 있었던 것은 행운이었다. 초희는 어릴 적부터 집안 살림을 도왔지만 학교 갔다 오면 으레 가게 일도 도왔다. 그렇게 초희는 부모님의 고생을 덜어드리려고 노력하는 데 아주 쉽게 손을 벌리는 관혁 오빠가 한심했고 바둥대며 사는 자신이 왠지 바보같이 느껴졌다.

한편으론 큰아버지가 일찍 돌아가셔서 권혁 오빠를 안타까워하는 아버지의 마음은 이해할 수 있었다. 하지만 초희 앞에서 거리낌 없이 권혁 오빠의 아버지 행세를 하면 당신의 딸이 상처를 받는 걸 모르실까, 어쩜 저렇게 무심할 수 있지? 그런 마음이 들곤 했다.

결국 아버지는 초희에게 전화를 걸어 사촌이 어려울 때 도와야 하는 것 아니냐며 십시일반 돈을 모아 도와줘야 한다고 했다. 초희는 떨리는 목소리로 아버지께 불만을 터트렸다.

"아니 지금 나이가 몇인데 아버지께 손을 벌리는 거예요? 스스로 해결해야지 아버지께 의존하는 게 말이 돼요?"

아버지는 흥분한 초희에게 당황하고 화가 났는지 초희가 말하는 도중 전화를 끊어버렸다.

초희는 고집이 세고 자존심이 강했다. 속상한 일이 있어도 이제껏 부모님께 속마음을 표현한 적이 거의 없었다. 어쩌다 용기를 내어 고민을 말하면 아버지는 위로를 해주시는 게 아니라 '인생이 어디 만만한 게냐, 그럴수록 더 강하게 이겨내야지' 하며 여린 속을 더 헤집으셨다. 그래서인지 무엇이든 초희 스스로 해결하거나 속으로 삭이는 편이었고 떼를 쓰거나 징징대는 아이들을 보면 화가 들끓기도 했지만 때로는 한없이 부럽기도 했다. 이런 초희의 성격을 만든 것은 바로 아버지였다. 아버지는 초희에게 항상 믿음직스럽지 못한 이기적이고 불안한 존재로 비쳐졌다. 허세로 가득 찬, 때로는 난폭하고 이기적인 아버지. 밖에서는 사람들에게 항상 너그럽고 관대한 사람이지만 집에서는 엄하고 냉정하리만치 가혹한 아버지. 아버지는 항상 강자가 되어야 한다고 나약함은 곧 질병이라고 말씀하셨다. 초희는 쓸쓸한 입맛을 달래기 위해 뜨거운 커피를 내려 마시며 어릴 적 아버지의 모습을 떠올렸다.

1973년 초희가 열 살이 되던 해였다. 주먹 만한 눈이 펑펑 내리던 겨울 밤이었다. 아빠가 빛바랜 커다란 갈색 가죽 가방 안에 옷가지를 주섬주섬 싸기 시작했다. 엄마는 퉁퉁 부은 눈에 가늘게 떨리는 목소리로 초희에게 말했다. "아빠가 멀리 떠나신단다. 이제 우리 곁에 없어, 배웅하러 가야지…."

무슨 영문인지도 몰랐지만 이제껏 경험하지 못했던 불행이란 감정이 이런 걸까 소름이 돋았다. 꿈속에서 발을 헛디디는 바람에 끝도 없이 추락하다 잠에서 깨어 가슴을 쓸어내렸던 그 공포감과 닮아 있었다.

초희는 불현듯 아빠와의 추억이 떠올라 눈물이 왈칵 쏟아졌다. 아빠의 발등을 밟고 춤추던 기억, 아빠의 손을 잡고 걸음걸이를 흉내 내며 둑길을 걷던 일, 아침에 초희의 잠을 깨우려고 까칠한 수염을 비벼대며 간지럼을 태우던 일, 일하시느라 초희와 많은 시간을 보내지 못했어도 사소한 추억들조차 이제 더 이상 없으리라는 사실이 믿어지지 않았다. 그저 아빠의 뺨에서 하염없이 흐르는 눈물이 초희의 볼을 적셨다. 아빠는 한참을 그렇게 초희를 꼬옥 안고 흐느꼈다. 엄마와 초희는 둑길까지 걸어가 아빠를 배웅했다. 눈은 점점 더 거세게 흩날리고 택시가 아빠를 태우려고 기다리고 있었다. 캄캄한 밤에 택시에서 나온 헤드라이트 불빛이 세 가족의 이별을 마치 영화의 한 장면처럼 비추고 있었다. "꼭 다시 돌아올 거야, 초희야, 엄마 말 잘 듣고 있어. 착하지 우리 딸," 아빠는 택시를 타고 초희의 시야에서 점점 멀어지더니 한점이 되어 사라졌다. 그렇게 아빠는 떠났다.

한동안 엄마는 넋이 나간 사람처럼 보였다. 부엌에서 맛있는 찐빵과 고로케로 간식을 만들던 모습도, 초희의 머리를 가느다란 빗으로 꼼꼼하게 빗겨주고 깔끔하게 묶어주던 모습도 볼 수 없었다. 푸석푸석한 엄마의 얼굴은 밤새 뒤척이며 뜬눈으로 지샌 흔적을 숨길 수 없었다. 말이 점점 없어지던 엄마는 한낮인데 소주에 수면제를 타서 한 모금씩 마시며 잠을 청했다. 방바닥에 등을 구부리고 돌아누워 잠을 청하는 엄마의 가녀린 어깨가 흔들리는 것을 지켜보던 초희는 조용히 밖으로 나갔다.

차가운 회색 콘크리트 담을 쓸어내리며 혼자 골목을 어슬렁거렸다. 함께 놀 아이들도 없는 텅 빈 골목을 걷다 보니 어느새 둑길에 다다랐다. 초희는 아빠랑 마지막 인사를 하던 둑방에 앉았다. 개천 뒤 야산 너머로 어김없이 하루의 해가 지며 붉은 노을이 마을을 천천히 물들이는 것을 바라보았다. 그리고 두 손을 양쪽 어깨에 푹 파묻고 흐느껴 울었다.

초희가 대학생이 되었을 때 엄마는 아버지가 떠났던 이유를 털어놓으셨다.

"아버지가 떠난 것은 여자 때문이었단다. 우리한테는 일하러 간다고 둘러댄 거야. 연락이 끊겨 아버지를 수소문해서 찾아갔지. 부산에서 그 여자랑 살림을 차렸더라. 나랑 집으로 올라가든지 저 여자와 살든지 그 자리에서 결정하라고 주저앉아 소리를 질렀어.

마침 아버지는 집을 떠난 것을 후회하고 있던 터라 일이 쉽게 끝났지. 아버지는 날 따라서 집으로 왔으니까."

"다 옛날 일이야, 지금은 아버지가 회개하고 교회 열심히 다니잖니, 하느님께 용서받았으니 그걸로 다 끝난 거야, 그러니 너도 교회 다녀. 고통은 한순간이다, 견디다 보면 끝이 보인단다."

엄마의 눈가에 덮인 잔주름이 유독 불거져 보였다. 엄마의 얼굴을 찬찬히 뜯어 본 적이 언제였을까. 초희는 어렸을 때 엄마가 영화배우처럼 참 예뻤다고 기억했다. 짧은 단발머리에 정갈하게 원피스를 입고 집에 있어도 항상 화장을 곱게 했었다. 천을 떠다가 직접 옷을 만들어 입었고 남은 천으로 내 원피스도 만들어 입혔다. 그렇게 예쁘던 엄마는 지금 뚱뚱하게 불은 몸에 눈꺼풀이 내려앉아 눈은 더 작아졌고 머리는 듬성듬성 이 빠진 듯 볼품이 없는 할머니가 되어 있었다. 초희는 마치 자신이 엄마를 망가뜨린 것 같은 죄책감에 사로잡혔다. '아버지를 닮아서 나도 무심한 딸인가'하고 자신의 고통에만 갇혀있는 것이 두려웠다.

초희는 아버지를 생각하며 끓어오르는 화를 식히려고 집안 정리를 하기 시작했다. 이사하면서 묵은 짐을 상자에 넣어두고 아직 정리하지 못했었다. 상자를 열어 추억의 잡다한 물건들을 하나씩 정리했다. 외삼촌이 외국 여행에서 사다 준 크레파스, 엄마가 모아두었던 초등학교 때 상장과 성적표, 빛바랜 가족사진, 어렸을 적 시골집 마당에서 찍었던 관혁 오빠와의 사진. 그 사진을 집어 들고 찬찬히 훑어보다 벼 이삭이 누렇게 익은 들판에서 관혁 오빠와 뛰어놀던 추억이 떠올랐다.

초희는 자기 키 높이만 한 누런 벼 이삭을 따라 관혁 오빠와 메뚜기를 잡으러 뛰어다닌다. 옅은 민트색 하늘과 누런 벼 이삭으로 뒤덮인 황금 들판은 아이들의 놀이터다. 잡은 메뚜기를 풀에 하나씩 꿰어 집으로 가져간다. 기름에 튀긴 메뚜기를 입속에 넣고 오물거리면 고소한 맛이 입속에서 가득 번진다.

초희는 어린 시절 관혁 오빠와 함께 뛰어놀며 자랐다. 방학 때 시골에 가면 으레 들판으로 나가 해가 질 때까지 딱지치기와 땅따먹기 등 갖가지 놀이를 하며 뛰어놀았다. 초희네 집에 놀러 올 때면 함께 좁은 골목을 구석구석 누비며 돌아다녔다. 술래잡기를 하며 놀다가 심술이 발동하면 오빠는 초희를 따돌리고 사라졌다. 초희는 혼자 남겨져 한참 오빠를 찾다 울먹거리며 집으로 돌아와야 했다. 항상 그런 식이었다. 다정한 듯하다가도 어느새 쌀쌀맞게 돌변하는 종잡을 수 없는 관혁 오빠는 어린 초희에게 상처만 주었다. 어떨 때는 발을 걸어 넘어뜨리거나 혹이 생길 만큼 꿀밤을 세게 때리고 도망가며 초희를 울리기도 했다. 어린 초희에게 관혁 오빠는 아버지처럼 믿을 수 없는 존재였다.

초희가 대학생이었을 때였다. 관혁 오빠는 회사가 있는 명동으로 초희를 불러 구두도 사주고 저녁도 종종 사주었다. 의류 무역업을 운영했던 오빠는 사업수완이 좋아 돈을 꽤 벌었다. 큰 키에 흰

피부와 서글서글한 눈매를 가진 오빠는 아버지의 관심을 받기에 충분했다. 그러던 관혁 오빠가 결혼한 이후로는 차츰 거리가 멀어졌다. 초희도 결혼을 한 뒤로 집안 대소사에나 잠깐 얼굴을 보았을 뿐 서로 잊힌 존재가 되어갔다.

시간이 흘러 이제 오빠도 환갑을 훌쩍 넘는 나이가 되었다. 오빠는 자기를 쏙 빼닮은 큰딸을 온정성을 쏟아 키웠다. 초희는 그런 사랑을 아버지께 받고 싶다는 생각에 부럽기도 했지만 오냐오냐 키워서 과연 잘 될까 하며 은근 질투가 났다. 관혁 오빠는 몇 년 전까지도 무역업으로 벌었던 돈을 부동산에 투자하며 큰돈을 벌었다고 했다.

"네 오빠가 빌라를 수십 채 사서 세를 주더니 비싸게 팔아 큰돈을 챙겼다고 하더라. 지금은 투자자들과 동업해서 춘천에 임야를 사들여 개발한다고 들었어. 우리 집안에 수완이 좋은 놈은 그 녀석뿐이지."

아버지가 초희에게 자랑스럽게 떠벌리셨다. 하지만 돈을 벌어 아버지 생신 때 축하한다는 전화 한 통도 용돈도 드린 적이 없다.

결국 아버지가 일을 저지르셨다. 초희가 매달 챙겨드린 생활비를 모아놓으셨다가 권혁 오빠에게 쌈짓돈을 몽땅 털어주었다. 초희는 아버지를 향한 배신감에 속을 끓어야 했다. 차라리 초희 모르게 챙겨주셨으면 될 것을 굳이 말해서 속을 헤집어놓는지 알 수 없었다. 한 달 뒤 돌려주겠다던 오빠는 이후 묵묵부답이었고 오빠는 딸 결혼식 때 언제 그랬냐는 듯 평온한 표정으로 인사했다.

"아버지, 축의금은 왜 주시는 거예요? 이자도 못 받으시면서…."

"넉넉히 주고 싶은 마음이야 굴뚝같지. 그래도 인사는 해야 할 것 아니냐."

초희는 아버지를 설득할 힘도 아버지와 맞서 싸울 용기도 없는 자신이 너무 싫었다. 관혁 오빠가 제멋대로 아버지를 이용하도록 방관해야 하는 걸까, 솔직히 초희는 부모님의 삶에 개입하고 싶지 않았다. 결혼하고 아이를 낳아 기르고 그 아이들이 성인이 되었는데도 우리는 왜 가족이라는 울타리에서 서로에게 간섭하고 짐이 되려는 걸까, 아버지의 그늘에 가려 평생을 살림만 하며 사는 엄마처럼 살기 싫었다. 하루 종일 부엌에서만 맴돌고 세상 물정 전혀 모른 채 묵묵히 평생 밥만 하는 삶. 그런 엄마에게 초희는 여전히 어린아이여야 했다. 초희의 세세한 감정을 묻고 걱정하고 또 확인하고 안심하고 끝없이 반복되는 틀에 박힌 삶.

문득 두 사람을 버리고 싶다는 충동이 일었다. '그냥 멀리 떠나버리는 거지. 날 따라올 수 없는 곳으로 가버리는 거다.' 이런 생각을 수도 없이 했지만 초희는 다음 달 아버지 생일을 어떻게 준비해야 할지 고민하고 있는 자신을 보며 결코 그들을 벗어날 수 없다는 사실에 몸서리를 쳤다. 오늘따라 초희의 심란한 마음을 비웃는 듯 거실 창을 뚫고 들어오는 햇살이 유난히 찬란했다.

3. 붉은 돌

초희는 미국 아리조나 피닉스로 향하는 비행기 창밖으로 석양이 붉게 타오르는 풍경을 홀린 듯 바라보았다. 점점 더 멀어질수록 두려움과 묘한 흥분이 교차하며 가슴이 터질 것만 같았다. 우연히 텔레비전에서 본 여행지 세도나. 붉은 사암이 병풍처럼 돌려있는 풍경을 보고 충동적으로 결정한 신들의 성지. 그곳을 가면 가슴 속 깊이 묵혀둔 찌꺼기들을 모두 토해낼 수 있을 것만 같았다. 홀로 무언가를 해 본 적이 언제였던지 기억이 나지 않았다. 타인의 눈치만 보며 숨죽이며 살았던 시간. 잃어버린 시간을 찾아서 떠나야만 했다.

초희의 마음 깊숙한 곳에 꼭꼭 숨어있던 에너지가 꿈틀거리며 폭발하듯 터져버렸다. 그 힘에 떠밀려 세도나로 향했다. 골목길을 누비다 언덕 위 돌담 위에서 바라보던 끝없이 펼쳐진 바다, 끌리는 대로 자유롭게 돌아다니며 꿈꾸던 어린 시절의 초희로 돌아가는 것 같았다.

홀로 세도나로 떠난다고 하자 아버지는 '후!'하며 깊은 한숨을 지으셨다. 불안과 질투심이 얽힌 말투였다.

"왜 너 혼자 간다는 거냐? 우리랑 같이 가면 좋을 텐데……"

"아뇨, 저 혼자 갈래요! 이제껏 쉬지 않고 달려왔는데, 저도 이제 숨 좀 돌려야죠……"

아버지의 얼굴 근육이 미세하게 꿈틀거리며 실망한 눈빛이 역력했다. 초희는 한 번도 용기를 내어 말해 본 적 없던 그 말이 아버지의 심기를 불편하게 만들었다는 것이 너무 통쾌했다.

'이제 딸의 삶에서 제발 빠져주세요, 아버지!' 초희는 이 말을 내뱉고 싶었지만 그대로 삼켜버렸다.

피닉스 공항에 내려 세도나까지 셔틀버스를 타고 이동했다. 밤 아홉 시라 창밖은 온통 깜깜했다. 갑자기 불안이 엄습했다. '내가 미친 짓을 했네, 다시 돌아가야 하나?' 초희는 공포에 가까운 두려움에 창백해진 얼굴로 어둠을 뚫어져라 바라보았다. 쏟아지는 졸음을 참지 못하고 기억하고 싶지 않은 과거의 기억 속으로 조용히 가라앉았다.

1980년대 초반 초희가 다니던 대학 캠퍼스는 온통 최루탄 연기로 뒤덮여 있었다. 독재 타도를 외치며 학생들은 거리로 뛰쳐나가 돌과 화염병을 던지며 저항했다. 소규모 스터디 모임이 우후죽순 생겨났고, 불온서적으로 검열당할 잡지들과 마르크스의 자본론을 공부하고 토론하면서 항상 술자리로 하루를 마무리했다. 초희는 좌파니, 우파니 하며 편을 가르는 정치와 이데올로기에는 전혀 관심이 없었다. 그저 어린 시절 가난 때문에 읽지 못했던 책들을 도서관에 틀어박혀 닥치는 대로 읽었다. 끌리는 책의 제목을 보면 곧장 집어 들고 시간 가는 줄 모르고 읽고 또 읽었다.

시대적인 분위기 때문에 좌파 사상에 동조하지 않는 학생들을 혐오하는 분위기가 점점 더 심해졌고 그럴수록 초희는 점점 더 고립되어갔다. 고립감과 무력감이 짙어지면 잠이 쏟아져 내렸다. 하루 종일 잠만 자는 날이 조금씩 늘어갔다. 대학을 가겠다고 했을 때 시집이나 가라고 했던 아버지의 말이 어찌 보면 맞을 수도 있었다. 현실과 부딪히며 경제적으로 독립할 의지는 없고 시험관 속의 아기처럼 잠과 독서에 빠져 하루하루를 보냈다. 원인도 모르고 해결할 방법도 찾지 못하고 방황하던 초희는 아버지와 부딪히는 날이 점점 견딜 수 없었다.

"시집을 가든지 취직을 하든지 뭐라도 해야 할 것 아니냐! 언제까지 껌딱지처럼 집에만 붙어있을 건지, 쯧쯧."

초희는 자신을 벌레라도 되는 것처럼 훑어보는 아버지 앞에서 한없이 비참해질 수밖에 없었다.

초희는 그렇게 떠밀려 아버지가 소개한 남자와 결혼해버렸다. 결혼은 자아가 불안한 초희에게 허우적거릴수록 더 깊이 가라앉는 차갑고 검은 늪이었다. 그나마 초희를 버티게 해준 어린 두 생명은 유일한 희망이었다. 어린 두 남매를 키우는 일은 고된 일이었지만 행복했다. 너무나 예쁘고 사랑스러운 두 아이를 품에 꼭 안고 잠들 때, 조그마한 얼굴을 씻기고 뽀송뽀송한 볼에 입 맞출 때, 입안에 밥알을 넣어주면 오물거리는 입술을 바라볼 때, 이대로 시간이 멈추길 간절히 원했다. 초희는 아이들만 데리고 멀리 떠나는 상상을 하며 밤새도록 눈물을 흘렸었다. 아이들과 함께 했던 다시는 돌아오지 않을 그 시간들이 사무치도록 그리웠다.

버스는 세 시간을 달려 숙소에 도착했다. 주변을 돌아볼 여유도 없이 초희는 침대에 쓰러져 곯아떨어졌다.

다음 날 커튼 틈으로 새어 나온 따스한 햇살이 부드럽게 초희의 눈꺼풀을 어루만졌다. 잠시 얼굴을 베개에 파묻고 깊게 숨을 들이쉰 뒤 천천히 일어났다. 커튼을 젖히자 창밖에 펼쳐진 붉은 바위의 강렬한 풍경이 온몸의 감각을 뒤흔들었다. 마치 화성에 온 듯 너무도 강렬한 붉은 색에 압도되어 어지러웠다.

초희는 붉은색 포드 렌터카를 몰고 세도나에서 가장 신성한 기운을 내뿜는다는 벨록으로 향했다. 양옆으로 펼쳐진 붉은 사암의 바위산들이 끝없이 펼쳐졌다. 연하늘색의 물감을 풀어 놓은 듯한 하늘과 대비되어 붉은 적색과 암갈색으로 물든 바위들이 황홀하게 아름다웠다.

우뚝 솟아있는 봉우리가 병풍처럼 펼쳐진 벨록에 도착하자마자 붉은 바위산을 걸어 올라갔다. 초희는 땅콩버터를 듬뿍 바른 샌드위치와 물이 담긴 배낭을 메고 자갈길을 밟으며 아주 천천히 올라갔다. 완만한 길을 따라가다 바위산 중턱에 앉아 가져온 샌드위치를 한입 베어 물었다. 그리고 눈앞에 겹겹이 펼쳐진 붉은 바위산의 장엄한 풍경을 오래도록 바라보았다.

누구의 얼굴도 떠오르지 않았다. 그저 이 믿을 수 없는 풍경 앞에서 오로지 초희는 자신에게만 집중했다. 숨소리와 붉은 바위의 현란한 풍경과 달짝지근한 땅콩버터의 맛이 초희의 가슴을 뜨겁게 달구었다. 둥둥둥둥 둥둥! 인디언들의 북소리가 점점 크게 들리는 듯 심장이 두근거리며 요동치기 시작했다.

초희는 이제야 자신을 짓눌렀던 고통을 받아들일 수 있을 것 같았다. 비로소 온몸의 힘을 빼고 온전히 자신의 삶을 살아갈 수 있을 것 같았다. 광활하고 웅장하게 펼쳐진 붉은 바위가 내뿜는 신비로운 기운이 초희의 주변을 맴도는 듯했다. 긴장의 끈을 놓지 않고 세상에 맞서서 살아온 초희에게 두려움 없이 세상을 힘껏 껴안고 가슴 속 깊은 응어리를 힘껏 던져버리라고 속삭이는 듯했다.

다음날 초희는 오랜만에 늘어지도록 늦잠을 잤다. 주변이 너무 고요해서 그런지 깊은 잠을 잤다. 익숙지 않은 정적이었지만 적막한 느낌은 아니었다. 긴장을 풀어주는 편안한 고요함. 서울 생활에서의 소음은 몸에 달라붙은 먼지 같아서 오히려 소음을 느끼지 못했다. 사방이 붉은 기둥의 산들로 둘러싸여 있고 초록색 풀이라고는 하나도 없이 온통 갈색의 풀과 자갈뿐인 고요한 풍경이 황홀하게 아름다웠다. 초희는 계란 오믈렛과 버터 듬뿍 바른 식빵으로 허기를 채우고 진한 커피로 원기를 보충한 뒤 호텔을 나왔다. 아침의 신선한 공기가 초희의 심장을 힘차게 펌프질했다.

차를 몰고 홀리크로스 성당으로 향했다. 붉은 바위기둥 속에 뾰족하게 치솟은 성당은 좁고 기다란 갈색 톤의 현대적인 건물로 붉은색 바위와 조화를 이루었다. 성당이 있는 언덕 위에서 내려다보이는 세도나의 전경은 붉은색 바위들이 현란한 햇빛을 받아 핏빛처럼 붉게 타오르며 마을을 물들였다. 인디언들이 마지막까지 지켰던 세도나. 인디언들이 몸이 아프면 대자연의 장엄한 기운을 받고 치유하러 오던 곳이었다니 세도나를 만난 것은 초희에게는 운명이었으리라.

성당 안으로 들어갔다. 사람 크기의 두 배나 되는 거대한 십자가를 맨 예수상이 고뇌 어린 표정으로 내려다보고 있었다. 신도석에서 보면 제단 뒤의 벽이 투명한 유리로 되어 있어 붉은 바위산과 푸른 하늘이 마치 한 폭의 그림처럼 펼쳐져 있었다. 무릎을 꿇고 고개 숙인 사람과 적갈색 나무 의자에 앉아 읊조리듯 기도문을 외는 사람이 보였다. 초희는 신자는 아니지만 한참을 의자에 앉아 있었다. 엄숙하지만 편안하고도 고요한 적막이 흐르자 초희의 어깨가 떨리며 두 볼에서 하염없이 눈물이 흘러내렸다. 걷잡을 수 없이 터진 눈물을 손으로 문지르고는 다시 흐르는 눈물을 그냥 내버려 두었다. 말로 표현할 수 없는 뜨거운 감정이 목을 타고 내려가더니 딱딱하게 굳어진 심장을 부드럽게 풀어 헤쳐 놓았다.

한결 가벼워진 마음으로 일어나 성당 지하 계단으로 내려갔다. 묵주와 성모마리아상 등 다양한 기념품들이 있었다. 천천히 돌아보다 눈에 띈 것은 붉은빛이 도는 원석이었다. 가공하지 않은 순수한 붉은 돌의 기운이 시들어가는 초희에게 생명의 기운을 불어넣어 줄 것 같았다. 불안을 잠재우고 마음을 다잡게 하는 부적과도 같은 붉은 돌을 초희는 손에 자국이 선명하게 날 정도로 꽉 쥐었다.

다음 날 숙소에서 멀지 않은 왓슨 레이크 호수공원으로 향했다. 먼지 한 점 없는 청명한 하늘과 따사로운 햇살은 축축하고 찌든 초희의 몸과 마음을 말려주었다. 어깨를 짓누르던 통증도 가셨고 침침했던 눈도 맑아지는 듯했다. 공원 입구에서 길을 따라 오분 정도 걸어가자 짙푸른 청색의 잔잔한 호수가 나타났다. 동글동글한 낮은 바위들에 둘러싸인 호수는 고흐가 그린 밀밭의 하늘처럼 순수한 청색과 닮아 있었다. 숨을 고르며 황금빛으로 물든 돌산을 가뿐하게 오르고 바위에 걸터앉아 호수를 내려다보았다. 초희는 바위에 등을 대고 짙은 청색의 호수를 바라보다 따스한 햇살에 스르르 눈이 감겼다.

"직장생활 삼십 년 하면서 아이 둘 유학 보내고 가장 역할 하느라 정신없이 달려왔어. 이제 나도 쉬고 싶다. 시골로 내려가 텃밭 가꾸면서 살려고."

남편은 돌연 명예퇴직을 신청하고 회사를 그만두었다. 새벽 다섯 시면 출근해서 밤늦게 퇴근하는 기계처럼 살아온 삶. 온 가족이 가장의 생체리듬에 맞춰서 살아야 했다. 초희도 아이 둘을 키우면서 학원에서 시간제 교사와 과외교사로 뛰면서 살림하랴 아이들 뒷바라지하랴 전쟁 같은 나날들을 해치우듯이 살았다. 눈 깜짝할 사이에 삼십 년이 흘렀다. 초희는 남편의 결정에 둔탁한 물건으로 뒤통수를 맞은 듯 충격을 느꼈다.

남편에게 의존했던 그동안의 삶이 와르르 무너지며 끝없는 나락으로 떨어지는 공포감이 밀려왔다. 아버지가 초희를 버리고 떠나던 날에 휩싸였던 두려움과 닮은 감정이었다. 살갑게 집안일을 의논하며 알콩달콩 살아온 부부는 아니었지만 남편이 하루도 빠지지 않고 회사를 다니며 가장으로서 책임을 다한 것은 인정할 수 있었다. 초희는 남편의 결정을 반대하고 싶지 않았다. 이제부터 스스로 삶을 책임져야 하는 현실이 두려울 뿐이었다. 생각해 보니 살면서 단 한 번도 홀로 살아본 적이 없었다는 사실이 믿어지지 않았다.

'어쩜 나는 성장을 멈춰버린 건지도 몰라. 언제부터인지 아버지와 남편, 아이의 눈치만 보며 휘둘려 살아왔던 거지.' 초희는 당차고 맹랑했던 어린 시절의 초희로 되돌아가 다시 시작하고 싶었다. '삶도 리셋이 된다면 얼마나 좋을까'. 매사에 불안과 집착으로 얼룩진 그림자 같은 삶을 빡빡 지우고 싶었다.

초희는 갑자기 '파드득' 하는 소리에 놀라 깼다. 젊은 연인이 노를 저으며 물오리들에게 천천히 다가가자 놀라 날아가는 소리였다. 동글동글한 갈색 바위들이 오후의 햇빛을 받아 노란 황금빛을 띠었다. 짙푸른 청색의 호수는 바람 한 점 없는 고요한 시간 속으로 한없이 빨려 들어가게 만드는 힘이 있었다. 태어나서 처음으로 홀로 떠난 여행, 처음 맞이하는 아름다운 풍경은 초희의 마음속 어둠을 서서히 몰아내며 온몸의 세포들을 깨어 가볍게 날아오르게 하는 듯했다.

갑자기 걷잡을 수 없는 충동이 밀려왔다. 초희는 신발을 벗고 겉옷을 벗어 옆에 가지런히 놓고는 호수 쪽으로 걸어가 차가운 물

속으로 한 걸음씩 발을 떼었다. 그러고는 짙푸른 호수를 천천히 헤엄치기 시작했다. 두근거리는 심장이 얼음처럼 차가운 물 속에서 멎는 듯했지만 이내 차분하게 가라앉으며 팔다리가 깃털처럼 가벼워졌다. 맞은편 바위까지 느릿느릿 헤엄치며 가는 동안 황금빛 바위들이 서서히 넘어가는 태양의 노을빛에 붉은 장밋빛처럼 활활 타올랐다.

4. 로쉐보보아Roche Bobois쇼파

초희는 요즘 들어서야 깊은 잠을 잘 수 있었다. 뜬눈으로 밤을 지새우는 날이면 무거운 돌덩이를 머리에 얹은 듯 핏발 선 눈으로 지내야 했었다. 흐릿한 시야에 담긴 풍경은 먼지와 소음으로 뒤덮인 짙은 회색빛이었다. 침실의 커다란 통창으로 스며든 햇빛이 잠을 깨우는 순간 가슴이 두근거렸다. 마치 새 심장을 기증받은 것처럼 온몸에 따스한 기운이 퍼졌다. 가뿐한 몸을 일으켜 샐러드와 구운 빵에 진한 커피를 내리고 식탁에 앉았다. 베란다 창문 밖으로 연하늘색의 바다가 잔잔한 파도를 일으키며 금가루를 뿌린 듯 햇살에 반짝거렸다.

이곳 동해시로 이사 온 지 벌써 일 년 반이 되었다. 남편과의 이혼은 마치 녹슬어 닳아빠진 자동차 바퀴가 튕겨 나가 부서지듯 그렇게 순식간에 정리되었다. 오래전부터 암묵의 약속이라도 한 것처럼 각자의 길을 간 것이다.

아버지는 초희의 결정에 참담한 심정으로 말문이 막히셨고, 엄마는 홀로 살아갈 딸 걱정에 매일 전화를 붙들고 울먹였다. 하지만 초희는 이상하리만치 마음이 평온했다. 마치 예전부터 계획했었던 것처럼 이혼서류를 신청하고 딸랑 하나뿐인 아파트를 팔아 각자의 몫으로 나누고 이삿짐을 꾸렸다. 단지 두 가지가 고민이 되었다. 초희가 혼자 살 곳은 친정 부모님이 계시는 인천과 가장 멀리 떨어져 있어야 했고, 푸른 바다가 보이는 곳이어야 했다. 카카오맵을 밤새도록 검색하며 속초부터 울진까지 동해안 해변가를 위성지도로 훑었다. 관광지가 아닌 조용하면서 해안가를 따라 산책하기 좋은 주택가여야 했다.

한눈에 지도만 보고 결정한 곳은 동해시 한섬 해변이 바라다보이는 낡은 아파트였다. 직접 가서 보니 베란다와 침실 쪽으로 난 커다란 창이 동해를 품 안에 들이듯 확 트여 있어 맑은 날에는 천곡항 너머 묵호항 등대까지도 선명하게 보였다. 초희는 인부를 불러 낡은 벽지를 화이트 색감의 벽지로 새로 바르고 부엌과 욕실은 파랑색 타일로 바꾸었다. 베란다와 침실 창에는 커튼을 달지 않았다. 대신 전에 키우던 잎이 무성한 해피트리를 베란다 한쪽 편에 놓았다.

초희는 예전에 있던 온갖 짐들을 싹 내다 버렸다. 며칠을 고르고 골라 가져온 단출한 살림살이 덕분에 꽤 널찍한 공간을 갖게 되었다. 유일한 사치는 알록달록한 무늬의 로쉐보보아Roche Bobois 쇼파(프랑스의 유명한 고급 가구 브랜드)를 한눈에 반해 새로 구입한 것이다. 주황색과 연두색 등 다양한 색상이 배합된 소파가 마치 어렸을 적 색동저고리를 입은 초희의 모습을 떠올리게 했다. 낮은 소파에서 뒹굴뒹굴하며 보이차를 마시다 동해의 파란 바다를 내려다보는 날이면 실감이 나지 않아 혼자 괴성을 지르기도 했다.

버리지 못하고 가져온 것은 책들이었다. 방 하나에 붙박이 서재를 맞추어 짜 넣고 책장을 붉은색으로 칠했다. 방 안을 가득 채운 책들과 오랫동안 아껴왔던 적갈색의 낡은 가죽 쇼파가 빈티지한 느낌이 물씬 풍기는 서재를 완성해 주었다. 소파에 푹 파묻혀 소설을 읽다 보면 하루가 금세 지나가버린 적이 많았다. 이제야 온전히 자신의 삶을 살고 있다는 생각에 가슴이 먹먹해졌다.

초희는 베란다 창문을 활짝 열었다. 찬 공기가 휙 얼굴을 감싸며 가슴을 뚫고 지나갔다. 저 멀리 한섬방파제 끝에 빨간 등대가 우뚝 솟아있는 것이 보인다. 서둘러 운동복을 걸치고 모자를 눌러쓰고 산책하러 나갔다. 해안가 데크 산책로를 따라 천천히 걸어가다 보니 Y자형 콘크리트방파제에 월별 탄생화가 알록달록 예쁘게 그려져 있었다. 초희는 팔월의 탄생화 앞에 멈췄다. '**우아하고 아름다운 양귀비**'라는 글자와 함께 선홍색 양귀비가 섬세하게 그려져 있었다. 초희의 얼굴에 살짝 부드러운 미소가 스쳤다. 찰싹찰싹 파도가 부드럽게 어루만지는 해안가를 따라 빠른 보폭으로 걷기 시작했다.

멀리 산책로 끝 한섬 중턱에 있는 정자 '관해정'까지 올랐다. 솔숲이 빽빽하게 펼쳐져 있는 언덕을 숨 가쁘게 오르다 정자의 기둥에 기대어 바다를 내려다보았다. 수시로 바뀌는 바다의 색깔이 오늘은 쪽빛을 띠었다. 검은 회색의 기암절벽이 굵은 소나무를 힘차게 떠받히고 있는 모습이 참 믿음직스러워 보였다.

겨울의 끝자락에서 불어오는 바람이 쌀쌀하지 않았다. 초희는 입을 크게 벌리고 심호흡을 했다. 혀끝에 찝찔한 소금기가 느껴졌다. 이곳으로 이사 와서 겪었던 첫 겨울 바다가 떠올랐다. 소나무 숲과 마을을 집어삼킬 듯 광풍이 불어 이불을 뒤집어쓰고 뜬눈으로 밤을 지새워야 했었다. 마음 한 구석에 웅크리고 있다가 복병처럼 언제든지 나타날 두려움을 비웃듯 동해 바다는 잔인한 민낯을 드러냈었다. 며칠 간의 광풍이 미친 듯이 몰아치더니 다음 날 뜬금없이 따뜻한 햇살이 떠오르며 잔잔한 바다를 어루만질 때 느꼈던 안도의 한숨. 삶은 그런 것 같았다. 언제든지 외로움은 광풍처럼 마음속을 휩쓸고 갈 것이다. 하지만 더 이상 두렵지 않았다. 거센 파도를 타듯 삶의 파도를 타며 남은 삶을 만끽하면 되는 것이다. 어린 초희가 동네 골목을 탐험하며 그때그때 기분 따라 놀이를 바꾸듯이 변덕스럽게.

며칠 후 초희는 드림캐처도 사고 점심도 먹을 겸 동산항에 있는 발리 음식점인 '와룽빠뜨릭'을 향해 차를 몰았다. 악몽을 걸러 주고 좋은 꿈만 꾸게 해준다는 아메리카 원주민들의 토속 장신구 '드림캐처'를 안방 침실 머리맡에 걸어두고 싶어서였다. 이층 단독 주택을 개조한 듯 보이는 소박한 외관이 마음에 쏙 들었다. 사이 사이에 타일을 붙인 나무 계단을 오르자 열린 창문 사이로 흰색과 검은색, 핑크색과 보라색 깃털이 주렁주렁 달린 커다란 드림캐처 가 바람에 빙글빙글 돌아가는 모습이 너무 예뻤다.

안으로 들어가니 짙은 오동나무로 만든 테이블과 라탄 의자가 마치 어릴 적 인천 외할아버지댁에 온 것처럼 편안했다. 자리에 앉 아 천장에 주렁주렁 매달린 다양한 색상의 드림캐처와 알록달록 한 색깔의 비즈로 만든 썬 캐처가 식당 안을 꽉 채웠다. 주인에게 물어보니 썬 캐처는 아프리카 원주민들이 밝은 태양 빛의 기운을 집안에 들이기 위해 유리나 구슬을 이용해 만든 풍수 아이템이라 고 설명해주었다. 썬 캐처가 바람에 우아하게 도는 모습을 넋을 놓 고 바라보고 있는데 점원이 메뉴판을 내밀었다.

'와빠니 쌀국수 주세요. 고추소스 곁들인 치킨도요.' 초희는 음 식이 나올 동안 가게 안을 둘러보았다. 벽에는 발리를 상징하는 현 란한 문양의 타일이 붙어있고 다양한 수제 구슬과 기념품들이 초 희를 유혹했다. 천천히 구경하다 통창에 걸려있는 드림캐처가 눈 에 띄었다. 매듭실 레이스로 짠 커다란 원형 라탄 틀 세 개가 파랑 색 깃털로 덮여있었고 길이가 통창을 덮을 만큼 꽤 길었다. 파랑색 깃털로 만든 드림캐처를 천천히 손으로 쓰다듬었다. 초희의 눈빛이 살짝 촉촉해지더니 식당 앞에 펼쳐진 바다를 그윽하게 바라보았다. 깃털의 파랑색이 동진항 너머 바다 색깔을 꼭 닮았다. 파랑색에서 뿜어져 나오는 기운이 욕망으로 뜨거워진 눈을 차갑게 식혀주고, 뜨거운 피를 진정시키며 다시 새롭게 도전하라고 용기를 주는 것 같았다.

식사를 마칠 무렵 가게 앞으로 알록달록한 서프보드를 들고 무리를 지어가는 서퍼들이 와자지껄 바다로 향했다. 늘씬한 키에 긴 생머리를 한 여성이 입은 웨트수트 등판에는 '서퍼 블루스 클럽'이라는 글자가 휘날린 글씨체로 새겨져 있었다. 마치 블루스를 연주하는 재즈클럽처럼 초희를 매혹적인 공간으로 데려다줄 것 같았다. 초희는 모래톱에 옮겨 놓은 로쉐보보아 소파에 누워 강렬한 햇빛이 몸 안에 고여 있던 축축한 습기를 날려버리는 모습을 상상하며 미소를 지었다.

서퍼들은 곧 시야를 벗어나 바다로 사라졌다가 다시 떠오르더니 멀리서 몰려오는 파도를 향해 힘차게 헤엄쳐갔다. 바람이 적당히 부는 청명한 날씨에 붉은 햇빛은 강렬하게 내리쬐고, 하나둘씩 파란 파도를 올라타는 서퍼들을 보는 순간 초희의 심장이 세차게 요동쳤다. 우아하게 춤을 추듯 파도를 타는 서퍼들을 눈으로 꾹꾹 눌러 담으며 초희는 서퍼들이 모여 있는 바다를 향해 새로운 종족을 만난 듯 호기심과 떨림으로 천천히 다가갔다. 멀리서 오후의 태양이 정점을 찍고 붉은빛을 퍼뜨리며 조금씩 바다 쪽으로 기울어지고 있었다.

07

통일탐정의 미래일기

Tom 鄭

에세이

Tom 郞
대학원에서 탐정학을 전공하고 있습니다.
탐정학 논문연구를 진행하면서 같은 주제안에서
사건과 가공 인물을 설정해 보고 몇 편의 에피소드를 만들어 보았습니다.

통일탐정의 미래일기

프롤로그

서기 2030년 3월 5일 새벽, 북한의 지도자 김정은이 심장마비에 의해 돌연사를 하게 되고, 마침내 북한의 3대 세습 독재체제는 막을 내리게 된다.

후계자 수업 중인 김주애의 나이는 불과 18세로 4대 세습은 불가하였다. 김정은 사망 소식이 퍼지자마자 북한 군부에서는 강경파 쿠데타로 일시적인 소요가 있었지만, 남북교류에 긍정적이었던 온건 개혁파가 군부를 장악하면서 24시간 안에 내분을 수습하였다. 대한민국에 평화적인 손길의 지원을 요청하게 되고 러시아와 중국의 간섭이나 개입의 빌미를 제공하지 않기 위해 급진적인 평화통일 조약을 전격적으로 체결하면서 남북통일 준비작업에 착수했다.

3개월 후에는 통일조약에 의거해서 6월 1일부터 통일의회를 구성하게 되고, 마침내 8.15 통일의원이 투표권을 행사하는 간접선거를 통해 역사적인 초대 통일국가 대통령을 선출하게 되었다. 통일은 분단국가를 종식시키면서 한반도의 완전한 영토회복과 한민족을 통합하는 역사 최대의 민족사건이 되었다. 특히 6.25 전쟁으로 가족과 헤어져야 했던 실향민 이산가족들에게는 그야말로 숙원을 이루게 된 것이다.

꿈에 그리던 가족들의 생사 확인과 형제자매를 만날 수 있다는 희망이 최고조에 달했다. 통일이 되었다는 소식을 듣자마자 통일부에는 이산가족 신청과 생사 확인을 요청하는 민원이 전국에서 동시다발로 수만 건이 몰리면서 '이산가족 찾기' 문제는 통일 직후 최대의 정부 정책인 동시에 국민적 염원으로 자리잡게 되고, 통일 관련 뉴스에서 이산가족 찾기가 주요 소재가 되었다.

갓난아기 때부터 이산의 아픔을 겪은 당사자는 최소 80세 이상의 고령자가 되었다. 그들이 만나고 싶은 부모 세대는 이미 평균 100세 이상으로 생존율이 희박해졌다. 하지만 동년 세대 형제자매와 같은 혈육은 살아있을 확률이 더 높았기 때문에 이들과 재회에 대한 희망의 끈을 놓지 않았다.

한편 이산가족 찾기 민원업무가 폭증하면서 이러한 업무를 전담할 수 있는 정부 인력을 증원하였으나 수만 건의 신청업무를 인원 증원만으로는 단기간에 해결할 수가 없었다. 이에 정부는 미아나 실종자 찾기와 같이 조사경험이 풍부한 사설 탐정(민간조사원)을 이산가족 찾기와 같은 공익성 업무에 투입하도록 위탁 정책을 전격 도입하여 활성화시켰다.

경찰과 공무원(공공근로자 포함)은 회복된 영토와 인구통합에 필요한 치안업무와 행정업무에 주력해야 했다. 동시다발적인 수만 건의 이산가족 찾기 업무를 이들 경찰과 공무원에게 전담 시킨다면 10년 이상은 이 업무만 매달려도 해결까지는 요원할 것 같았다.

탐정업이 2020년부터 자유업[1]이 되면서 누구나 자유롭게 개업을 할 수 있게 되어 몇 년간 수천 명이나 되는 탐정이 생겨났지만 통일시대에 이산가족 찾기와 같은 정부 용역 차원의 공익성 업무를 믿고 맡길 수 있는 유능한 탐정을 양성하기 위해 「탐정관리법」을 제정하게 되었다.

1) 2020년 8월 「신용정보보호법」 제40조 금지조항 일부가 개정되고 난 후 신용정보회사(종사자 포함)를 제외하고 누구나 '탐정'이란 용어와 상호 명칭을 사용할 수 있게 됨

통일을 계기로 탄생하게 된 「탐정관리법」에 의해 탐정들은 기존 실종자 찾기의 한 부류가 아닌 고유한 업무로서의 이산가족 찾기 사업이 핵심 업무로 인식이 되었고, 통일 이후 체제청산 과정에서 필수적인 북한 중대범죄자(예, 강제납치 및 고문 등 인권탄압) 현상 수배 추적과 범죄증거 수집, 북한 출신 공무원의 통일정부 공무원 재임용과정(과거 전과 등 결격사유 여부)에서 사실조사, 분단 직후 토지 강제수용 및 재산몰수에 대한 원상회복 또는 손해배상 청구 관련 자료수집 업무에 탐정업무가 새롭게 추가되었다.

드디어 과거 독일통일 시행착오 경험을 교훈 삼아 대한민국 통일문제 과정에서의 효율적인 정책 추진을 위해 대안으로 탐정 지원인력을 활용하는 한국식 해법이 빛을 발하게 된 것이다.

2030년 현재 전국에는 탐정들이 9,000명 남짓 활동 중인데, 이들이 전통적으로 수행하던 실종자(미아 등) 찾기, 배우자 불륜 추적 또는 예비 배우자 신원조사, 국내외 기업 신용 평가 확인, 공익신고(제보)가 주류를 이루었지만 통일국가로 변모하면서 탐정 전성시대를 맞이하게 되었다. 종래의 탐정 직업에 대한 부정적인 인식(예, 흥신소 또는 개인정보 불법 접근)에서 벗어나 체제청산과 국가정체성 회복 과정에서 꼭 필요한 탐정이 선망 직업으로 떠오르게 된 것이다.

젊은 세대들에게 창업 또는 취업으로 탐정 분야는 최고의 인기 직종이 되고, 대한민국에서 소설, 영화, 게임에서 탐정 캐릭터는 창작 산업의 중심으로 자리매김을 하게 되었다. 통일탐정의 미래 일기는 상처받은 조국에 드리웠던 그늘을 걷어내고 밝고 희망찬 양지를 넓혀 나가는 진취적인 탐정들의 활동상을 그려가고 있다.

제 1장. 이산가족 찾기 <80년 한 맺힌 기다림>

2030년 9월 3일, 서울, 파란 하늘 맑은 날씨(28℃)

AM 10:30 "그러니까, 6.25때 헤어진 부모님을 찾아달라는 말씀이시군요."

김대한 탐정(48세)이 30분 동안 의뢰인의 이야기를 듣기만 하다가 꺼낸 첫 대답이었다. 광화문 「원코리아」 탐정사무실에 탐정과 의뢰인, 두 사람이 서로 마주 앉아서 이야기를 나누고 있었다. 김대한 탐정은 언론사 기자 출신으로 멘사 회원답게 한번 들은 내용은 결코 잊지 않는 명석한 두뇌와 복잡한 상황들을 정리해나가는 냉철한 판단력의 소유자이지만, 항상 휴대하고 있는 수첩에 '의뢰인'. '부모' '행방불명' 단어를 삼각형 형태로 배열하는 메모를 했다.

20평 남짓한 그의 사무실 책상이 보이는 창문 쪽으로 서울광장과 함께 빌딩들이 보였고, 책상 앞과 소파 양쪽 벽에는 올해의 기자상과 특종기사 액자와 법무부와 경찰청에서 받은 감사패들이 빼곡하게 걸려있다. 10년간 정치부와 사회부를 오가며 기자 생활을 하다가 탐정으로 업종을 바꾼 지 또 다른 10년이 되었다. 그는 가슴속 깊은 곳에 어려운 사람과 약자의 편에서 정의로운 사회를 만들기 위한 이상과 꿈을 간직하고 있었다. 통일시대가 도래하자 김 탐정은 40년 통일 독일의 성과와 시행착오를 교훈 삼아 통일 대한민국이 현실과 타협하지 않고 신념을 실천하기 위한 멋진 무대가 될 것 같은 강렬한 예감이 들었다.

김 탐정은 의뢰인 강산해(85세) 할아버지 이야기를 줄곧 경청하면서 짧게 질문을 하는 형식으로 상담을 하고 있는데, 의뢰인은 본인 소개를 하면서 실종된 부모 사연을 들려주었다.

의뢰인(강산해)은 1950년 6.25전쟁 당시 5살 어린아이였을 때, 고향인 강화도에서 교육자였던 부모가 북한 인민군에 의해 강제 피랍되어 북한으로 끌려간 뒤, 연락이 두절되었다. 유일하게 부모의 성명과 출생연도만 호적부에 남아 있어 알고 있을 뿐 이후 생사를 모른 채 80년의 세월 동안 부모 소식을 애타게 기다리고 있다. 이번 통일을 계기로 만약 살아계신다면 100세를 넘기셨을 부모의 생사와 소재, 그동안의 행적을 알고 싶어 했다.

의뢰인은 너무도 어린 나이에 부모와의 이별로 응석 한번 부리지 못하고 고독과 가난의 험난한 인생을 살아왔다. 근면과 성실함을 밑천으로 30대부터 사업에 두각을 나타냈고 자수성가한 사업가로 성장했다. 10년 전에는 사업체를 정리하고, 현재는 여행과 운동에 더 많은 시간을 보내면서 외로운 자신에게 평생 큰 힘이 되어준 부인과 노후를 여유 있게 보내고 있다고 말했다. 김 탐정은 의뢰인 사연을 들으면서 전쟁 고아 세대에 대한 존경심이 들었다. 의뢰인은 어린 나이에 친척 집에 얹혀 살면서 눈칫밥을 먹으며 간신히 고등학교 졸업을 할 수 있었다. 일찍 독립해서 생계를 꾸려나가야 했기에 청년기에는 주방용품 유통업계에 뛰어들어 자리를 잡아 사업체를 운영하면서, 가정에서는 자상하고 다정한 가장으로서 두 명의 딸을 반듯하게 키웠고, 주변 사람들에게 좋은 평판을 받고 있었다.

의뢰인은 이러한 경제적인 여유에도 늘 가슴속에는 부모에 대해 사무치는 그리움이 남아 있었다. 과거 이산가족 상봉 행사 때마다 부푼 희망을 갖고 신청을 했지만 연장자 우선순위에서 밀려서 늘 탈락의 고배를 마셔야 했다. TV속 화면에서 이산가족 상봉 장면마다 부둥켜 얼싸안고 우는 얼굴에 의뢰인 자신의 얼굴을 수도 없이 떠올려 보았다고 회상했다. 마침내 가족을 만나야 한다는 집념으로 의뢰인은 가족을 찾을 수 있는 모든 수단과 방법을 다 동원해봤다고 이야기했다.

2000년 초반인 30년 전에는 중국과 북한을 오가는 브로커를 통해 재북 가족 소식을 들을 수 있을까 하는 일말의 희망에 몇 번 접촉을 시도했었다. 어떤 브로커로부터 '재북 부모 생사 확인 불명'이라는 모호한 대답을 듣거나, 다른 브로커한테는 착수금을 전달하였는데 돌연 잠적하게 되면서 수백만 원의 금전 손해를 보기도 한 적도 있었다. 다른 방편으로는 미국과 캐나다 선교 단체에서 방북을 하던 목사를 통해서 몇 번 수소문을 했지만, 단서가 될 만한 소식은 찾을 수가 없었다.

그 뿐만 아니라 2014년 통일부에서 '이산가족 대상 유전자검사[2]' 사업을 시행하자마자 의뢰인은 DNA를 데이터(2030년 현재 약 3만명 검사)은행에 보관하였지만, 아무런 소식을 받지는 못했다고 했다. 통일이 되면서 재북 지역 주민들에 대해서도 유전자 수집을 할 수 있게 되어 신청자를 받아 진행 중인데, 북측의 유전자 데이터가 상당 수준 축척이 된다면 우리쪽 유전자와 대조를 통해 신원확인은 가능하겠지만 의뢰인의 재북 가족 (자녀도 가능)이 유전자 검사에 응할 수 없게 된다면 이 문제를 마냥 기다리면서 해결될 수 없다는 걱정을 했다.

이런 상황에서 의뢰인 강산해 할아버지는 '탐정 선생님, 통일부에 사건 접수해서 소식을 기다리다가 몇 달이 걸릴지 몇 년이 걸릴지 알 수가 없어 답답했습니다. 누구보다 빠르게 부모님 소식을 알고 싶은데 사례는 얼마든지 하겠습니다'라고 말하는 의뢰인의 얼굴에 패인 주름이 골짜기처럼 유독 깊어 보였다. 김 탐정은 평

---

2) 이산가족 유전자검사 사업은 「남북 이산가족 생사확인 및 교류촉진에 관한 법률」 제8조의 2에 따라 2014년부터 2022년까지 총 2만 6천682명이 참여하였으며, 올해에는 1,000명을 대상으로 사업을 신속하게 진행해 나갈 계획임(오도민신문, "다우진유전자연구소, 남북이산가족유전자 검사 실시", 2023년 8월 10일)

생을 5살로 부모님을 기다려온 강산해 할아버지의 간절한 염원을 하루 빨리 이뤄주고 싶었다. 마침내 김 탐정은 방금 전 수첩에 메모한 삼각형 안에 '납북자 경로 추적'이라고 적었다. 의뢰인에게 사건을 정식 접수(분류 : 이산가족 찾기)하겠다고 화답하며 안심시키고 그를 배웅한 후, 곧바로 조사에 착수했다.

<2030년 9월 15일, 평양, 구름 낀 날씨(26℃)>

AM 08:15 "08시 25분 평양으로 가는 KTX 225 열차를 이용할 고객께서는 타는 곳 3번 승차장으로 가시기 바랍니다." 서울역 역사 내에서 안내방송이 흘러나왔다.

김 탐정은 검정색 백팩을 맨 채 평양행 열차에 몸을 실었다. 통일 직후부터 경의선 철도가 북한 철도와 연결되어, 도라산역-판문점역-개성을 지나 10시 30분 종착지인 평양역에 도착했다.

강산해 의뢰인 사건을 착수하면서 북한 지역 담당 파트너인 윤배달 탐정(42세)이 열흘 동안 현지조사를 거쳤다, 그리고 김 탐정을 역으로 맞이하러 미리 나와 있었다. 평양 탈북민 출신인 윤 탐정은 김 탐정과는 통일 직후 파트너로서 동업을 하면서 서울과 평양을 왕래하며 활발히 활동하고 있었다.

윤 탐정은 15년전 탈북을 하여 남한에 귀순해서 평양 냉면사업을 하며 큰돈을 벌었지만 원래 평양에서 교통경찰로 10년 이상 활동했던 특수경력을 갖고 있었다. 활달하고 다혈질인 윤 탐정은 정도 많고 의협심이 강해 탈북자 네트워크에서 다양한 계층의 정보원들과 두루 연결되어 해결사를 자청했다. 평소 김 탐정은 윤 탐정의 가게 단골로 호형호제하면서 그의 정보력을 눈여겨보고 있던 터라 이번 통일을 계기로 북한 전문 탐정으로 동업해보자는 적극적인 권유가 결정적인 계기가 되었다. 윤 탐정은 고향 땅을 다시 밟게 되자 흉물스럽던 북한 지도자 동상이며 붉은색 혁명 문구들이 전부 철거되고 자유롭게 활보하는 평양 시민들의 거리를 보면서 예전 교통경찰 시절을 떠올리며 자신이 진정으로 원하는 일이 무엇인지 깨닫게 되었다. 드디어 남은 인생을 북한 주민과 한민족을 위해 봉사하고 싶은 포부를 갖고 탐정으로 제3의 인생을 시작했다.

김 탐정은 어제 오후에 윤 탐정으로부터 의뢰인 부모의 생년월일과 교사였던 직업을 단서로 교육부 소속 등록 교사 명단을 입수해서 부친 행적을 찾았다면서, 의뢰인의 이복형제와 만남을 갖고 확인해 줄 것을 요청했다. 또한 윤 탐정이 며칠 전 북한 주민으로부터 의뢰받은 다른 사건을 은밀히 추적 중에 있는데, 자세한 이야기는 김 팀장과 만나서 의논하자는 메시지도 덧붙였다.

윤 탐정은 김 탐정을 승용차에 태우자마자 음성인식으로 시동을 켰다. AI 자율주행 설정으로 목적지로 향하면서 그동안 조사결과 보고서 파일을 건네며 브리핑을 했다.

의뢰인 부친으로 추정되는 인물은 이미 1999년 사망한 것을 확인했고, 평양 보통학교에서 30년간 교사로 복무 후 은퇴하였으며, 1960년대에 동료 교사와 재혼으로 1남 1녀를 두었다고 했다. 말년에는 간경화로 사망했는데, 고인의 유언에 따라 대동강 유역에 유골을 뿌렸다고 했다. 고인은 생전 남쪽에 두고 온 아들(의뢰인)을 그리워했으며, 죽어서라도 혼백은 대동강을 통해 서해로 흘러가 강화도까지 가고 싶다고 했다. 의뢰인 친모는 1950년 고인과 피랍 도중 모진 행군으로 인해 쓰러진 이후 며칠 후 급성 폐렴으로 사망했다고 하며, 시신은 사리원 근처 재령강 하류 부근 야산에 암매장하였고, 이후에는 찾지 못했다고 했다.

윤 탐정이 운전하는 차는 의뢰인 이복형제 부부가 살고 있는 평양 대동강 양각교 근처에 있는 「김책공업대학 교육자 아파트」로 향하고 있었다. 2010~20년대 평양에 수만 가구 아파트가 지어지면서 곳곳에 고층 아파트들이 보이기 시작했다. 평양역을 빠져나온 지 10분 정도 걸려 아파트에 도착했다. 지하주차장 엘리베이터를 타고 10층에서 내려 현관문 벨을 누르자 70대 노인이 된 의뢰인 강산해 할아버지의 이복형제 부부가 두 탐정을 반갑게 맞이했다. 두 탐정은 이들에게 공손히 인사를 했다.

의뢰인 이복동생 부부는 어제 윤 팀장으로부터 연락을 받고, 부친의 남쪽 가족 소식을 알게 되어 무척 기뻐했고 선친이 생전에 남긴 유품들을 보여주고 싶다는 얘기를 했다. 이들 부부는 두 탐정을 거실 소파로 안내했다. 거실 창밖 너머로는 큰 대동강 줄기가 유유히 흐르고 한강 뚝섬처럼 생긴 곳에 양각도 경기장이 한눈에 보였다.

의뢰인 이복동생 부부는 미리 준비해 둔 유품 보관함을 보여주었다. 그 안에는 의뢰인의 선친이 생전에 써 두었던 편지 꾸러미와 사진 그리고 은반지가 들어 있었다. 사진 속에서 고인은 의뢰인과 얼굴이 너무나 닮았기 때문에 한눈에 친부자 관계임을 알 수 있었다. 편지 꾸러미에는 남쪽에 홀로 남겨진 의뢰인을 향한 절절한 그리움을 담아 쓴 편지와 북송 과정에서 비통하게 사망한 부인 유해를 꼭 찾았으면 한다는 사연이 적혀 있었다. 선친이 남긴 은반지는 결혼반지였는데, 의뢰인 모친을 찾는다면 은반지가 있을 것 같은 생각에 함께 남겨두었다고 했다.

김 탐정은 백팩에서 미리 준비해 둔 유전자 검사 키트를 꺼내면서, 의뢰인의 이복 동생에게 유전자 검사가 필요한 행정절차이니 협조해 달라는 요청을 하면서 휴대폰으로 전자 정보동의서에 서명을 받아두었다. 그리고 머리카락과 타액, 혈액을 채취하여 키트 안에 담았다. 평양에 유전자연구소 분소가 소재하고 있어 검사 키트를 분소로 보내, 시료분석을 해서 서울 본부 데이터은행에 정보를 전송토록 할 예정이다. 의뢰인 이복동생 부부는 선친 유지를 받들어 남쪽 형님과 하루속히 만나고 싶다는 의향을 전달했다. 김 탐정은 내심 곧바로 영상으로라도 연결해주고 싶었지만, 조사 준칙에 따라 공식적으로 가족 확인 작업을 마치고 나서 이산가족 상봉 매뉴얼 절차대로 만남을 주선하고 통일부에 이산가족 찾기 결과를 통보할 계획이다.

두 탐정은 의뢰인 이복동생 부부에게 작별 인사를 했다. 조만간 의뢰인과 만남이 성사되길 바란다는 소감을 남겼다. 아파트 주차장을 빠져나오면서 김 탐정은 윤 탐정에게 의뢰인 아버지 생사와 행적을 확인했으니, 재북 가족과 만남이 조만간 성사되겠지만 의뢰인에게 북송과정에서 사망 후 매장된 모친 유해는 소재 추적을 계속해야 할지 의논해 봐야 할 것 같다고 말했다. 윤 탐정은 의뢰인이 추가 의뢰를 하면 재령강 야산에서 매장지를 찾는 일이 쉽지는 않겠지만, 당시 납북 사건 관계자 증언 기록이나 인민군 부대 기록물이 있는지 살펴보고, 매장 현장을 찾게 된다면 유골을 수습해서 DNA를 대조하게 되면 의뢰인 모친도 찾을 가능성은 열려있다는 희망을 걸어보았다.

평양역에 도착하기 직전에 윤 탐정은 김 탐정에게 북한 주민이 제보해서 신규 조사 중인 사건에 대해 간략히 브리핑했다.

과거 2000~2020년 압록강을 도강했다 붙잡힌 탈북자에 대한 인권 유린 범죄에 관한 내용이었다. 탈북자는 중국으로 도주 중 중국 공안의 단속에 걸려 체포되면 북한 국경수비대와 보위부로 넘겼는데, 그 당시 납치와 감금에 주도적으로 가담했던 박만기라는 보위부 간부가 있었다. 그는 과거의 행적을 철저히 숨기고 정치 성향을 드러내지 않기 위해 해외 수출 담당 기업가로 신분세탁을 했고 이번 통일의회 북한 지역 국회의원으로 변신을 했다는 것이다. 그는 보위부 근무 당시 박남호라는 가명으로 활동했었기에 현재 박만기가 박남호와 동일 인물이라는 사실은 극히 일부만 알고 있다고 했다. 박만기가 현직 국회의원 신분에 통일 직후 신설된 「신탁관리청」[3] 부청장도 겸직하고 있어 철저한 신원조사와 과거 범죄혐의 규명이 필요하다면서 윤 탐정은 박만기 사건파일 사본을 제공했다. 윤 탐정은 북한 지역에서 과거 박만기로부터 중국에서 납치와 감금 피해사례에 대한 증언을 확보 중에 있으니, 김 탐정은 남측에서 박만기와 연루된 인물들을 조사해 달라고 요청했다.

김 탐정은 윤 탐정에게 '서울로 복귀하는 대로 연계 조사를 진행하겠다'고 말했는데, 때마침 서울행 기차 출발 안내방송이 나오자 김 탐정은 윤 탐정과 작별 인사를 하고 서울행 기차에 올랐다.

---

3) 북한 재산의 사유화 작업을 담당하는 (가상)부처로 통일독일의 「신탁관리청」 (Treuhandanstalt) 개념을 차용

제 2장. 인권 침해 사례 수집 <불법 납치 및 감금>

<2030년 9월 16일, 중국 단둥과 서울, 흐림(23℃)>

PM 13:30 윤 탐정은 단둥에서 선교활동을 하고 있는 김판돌 (59세)과 면담 중이다. 김판돌은 과거 불법 체포와 납치에 가담한 과오를 속죄하고자 5년 전부터 선교사로 활동하고 있었다. 김판돌 은 북한 압록강 지역 국경과 가까운 단둥에 이주해 어려움을 겪고 있는 북한 주민에 대한 구호활동을 계속해왔다고 말하면서 윤 탐 정에게 박만기의 불법행위에 대해 제보를 결심한 동기를 설명했 다.

김판돌은 과거 박만기의 심복이었다. 북-중 접경지역인 단둥을 오가 며 북한에서 압록강을 넘어 도주하다 체포된 수백 명의 탈북민을 중국 안 전부로부터 인계받거나 직접 현장체포를 하여 압송할 때 운전원을 했다. 특히 2010년에는 중국 국경 지역에서 탈북민을 도와줬던 한국인 한성실[4] 목사를 납치하여 북한으로 압송하는 데 가담한 전력도 있었다. 이 당시에 도 박만기와 함께 활동했다고 고백을 하였다. 그 후에 한성실 목사는 구금

---

4) 동명은 가공인물로 설정. 참고로, 우리 외교부 대변인실은 올해 1월 29일 VOA에 "우리 정부는 북한에 억류된 우리 국민 6명의 생사 확인 및 즉각 송환을 북한에 촉구해 오고 있다"며 "특히, 그중 3명(김정욱, 김국기, 최춘길)은 억류된 지 10년째"라고 강조 했음. 그러면서 "이를 계기로 국내외 관심을 지속 환기해 나갈 것"이라고 밝혔음(VOA, 2월 1일 기사)

시설에서 온갖 회유와 설득에도 전향을 거부했기 때문에 후유증과 영양실조로 사망한 것으로 알려졌고, 끝내 남한에 돌아가지 못했다.

PM 15:00 한편, 서울에서는 김 탐정이 박만기의 또 다른 조직원 중 한 명이었던 이명수(58세)와 면담을 하고 있었다.

이명수는 2015년 한국에 몰래 입국하였다가 체포된 후 10년형을 선고받아 형집행을 받고 2024년 만기출소하였다. 남한에서 정착하여 건설노동자로 생계를 유지하고 있었다. 이명수는 김 탐정에게 당시 납치조 4명이 활동하였는데, 박만기가 조장으로 현장 지휘를 했고 이명수와 김판돌은 각각 호송과 운전업무를 담당하고 있었는데, 동료였던 김판돌에 대한 인적사항을 확인해주었다. 남한에서 사법처리 이후에 전향하여 과거의 잘못을 진심으로 뉘우친다면서, 자신 때문에 북한에서 고통받고 살아갔던 탈북민에게 평생 사죄하며 살아가고 있다는 말을 들었다. 그런 와중에 박만기가 신분세탁을 하고 통일 후에 뻔뻔스럽게 통일의회와 「신탁관리청」에서 고위 공무원으로 활동하고 있는 사실에 대해 올동하다[5]면서 분개했다. 윤 탐정은 장기 미제 실종사건으로 있던 한성실 목사 납치에 대해 진상조사 및 소재 추적에 대한 단서를 포착하게 되어 공범들을 추적 중에 있는데 가족들에게 연락을 취해 정식으로 사건을 의뢰하면 조사를 통해 사법당국에 수집한 증거와 조사기록을 전달하겠다고 했다.

---

5) 북한말 : 깜짝 놀라 눈이 휘둥그레지다

윤 탐정은 김판돌의 적극 협조와 증인이 필요한 점을 인식시켜서, 사건조사서에 김판돌의 범죄행위에 대한 진술내용을 작성했다. 여기에서 기억하고 있는 범죄 피해자들의 인적사항을 특정할 수 있게 진술을 받고, 당시 탈북민들이 호송된 강제 구금시설 대한 정보를 모두 기재하게 하였다. 또한 행방이 묘연한 범죄 피해자들을 찾는 데 도움이 될 만한 가혹행위에 대해 녹취하는 한편 강제 구금시설 관련 정보를 국가수사국에 제공하였다. 북한 전역에 있는 범죄 피해자에 대한 수색을 확대시켜 국가수사국이 정식으로 강제수사에 착수할 수 있도록 지원했다.

또한 한성실 목사가 사망 후 매장된 것으로 알려진 함흥 지역의 강제구금시설 대한 증언도 확보했다. 그 건에 대해서는 국가수사국에서 며칠 후에 현장발굴팀을 급파해서 매장된 유해를 수습할 계획이라는 답변을 들었다.

<2030년 11월 15일, 서울, 맑음(20℃)>

결국 과거 범죄행위 사실 진술과 당시 몇몇 피해자 증언을 토대로 박만기의 실체가 백일하에 드러나게 되었다. 박만기는 통일의회 소속 국회의원 면책특권으로 사법망을 빠져나가려고 시도하였지만 윤 탐정과 김 탐정이 수집하여 제출한 증거자료를 토대로 국가수사국에서는 피해자 사례를 북한 전지역으로 확대 수사하여

수백 명의 증거자료를 보강하였다. 뉴스에서는 모든 국민들이 사건의 전모를 알게 되면서 결심공판 결과를 관심 있게 지켜보고 있다고 보도했다.

PM 14:00 재판정에서 판사는 '수십 년 전 범죄행위더라도 인도주의와 인권범죄에 있어 공소시효는 적용되지 않으며 국제형사법과 국내 형법에 의거하여 피고인 박만기는 지난 20년간 탈북자 수백 명에 대한 납치·고문·폭행치사 등 가혹행위 외에도 각종 뇌물수수 혐의에 대한 유죄를 인정한다'면서 무기징역과 함께 500억 추징을 선고하였다. 박만기는 고개를 떨구며 망연자실하였다. 재판정 방청석에 앉아 있던 피해자 가족들은 일제히 함성을 터트렸고 기쁨의 눈물을 흘렸다. 김 탐정과 윤 탐정은 법정을 빠져 나오자 바깥에서 기다리고 있던 수십 명의 국내외 언론 취재진의 재판 결과에 대해 질문에 답하면서 '피해자 가족들과 함께 형사 사건과는 별도로 수천억대의 손해배상 관련 민사소송 증거자료를 이미 변호인에게 지원했습니다'라고 발표했다.

제 3장. 도피 중범죄자 추적 <불법 무기 판매, 해외 비자금 은닉>

<2031년 6월 30일, 모나코 몬테카를로, 강렬한 여름 날씨

(30℃)>

AM 11:00 뜨거운 태양 아래 지중해 도시국가인 모나코는 세계에서 2번째로 작은 국가이지만 국민의 1/3이 백만장자이다. 올해도 자동차 경주 그랑프리 F1 결승전이 열리고 있었다. 항구 행사장에는 이미 세계 각국에서 몰려 온 수천 명의 관중들이 관중석을 가득 메우고 있었다.

하얀색 중절모를 쓴 김 탐정은 선글러스 형태의 관람용 망원경을 통해 맞은편 관중석에 앉아 있는 한 인물을 주시하면서 렌즈의 원격거리를 자동으로 조절하며 확대 사진을 찍고 있었다.

망원경에 들어온 인물은 김중석(53세). 아마도 베팅한 드라이버가 있는지 한창 굉음을 내며 주행 써킷을 통과하는 경주차에 정신이 팔려 주먹 쥔 오른손을 위로 치켜들고 휘두르는 등 흥분한 상태로 보였다.

김중석은 「백두산개발은행」 블라디보스톡 대표로 러시아 지역 해외자금을 관리해오다가 통일 직후 제3세계로 도주한 뒤 행적이 묘연한 인물이었다. 그의 전력은 북한의 무기 거래 결제금액을 세탁하여 해외 차명 계좌에 분산시켜 관리하는 한편 IT 인력이 해킹을 통해 빼돌린 가상화폐를 북한으로 송금하는 사업을 관리해오고 있었다. 김중석도 북한체제가 붕괴

하면서 중국이나 러시아에 망명한 수십 명의 지도층 인사들처럼 이미 인터폴 지명수배[6] 명단에 포함되어 있었다.

그는 다른 북한 고위층 인물들처럼 중국과 러시아에만 평생을 갇혀 망명생활을 하고 싶지 않았다. 몇 년 전에 위장 여권으로 몰타에서 해외투자 형식으로 영주권을 취득하였기 때문에 비자 제한 없이 유럽 어디든 자유롭게 돌아다닐 수 있었다. 특히 모나코가 조세 피난처이다 보니 소득세를 낼 필요도 없고 해외투자 사업가로 행세하며 세계의 부호처럼 몬테카를로에 바다 전체를 조망할 수 있는 백억 대의 빌라를 소유하고 항구에 수십억 대의 고급요트를 정박시키고 여러 대의 럭셔리 스포츠카를 타며 호화 생활을 하고 있었다.

김 탐정은 며칠 전 프랑스와 모나코에서 태권도 사범으로 있는 사촌 형 김진명(55세)으로부터 급한 전화 연락을 받았다.

김진명은 김 탐정에게 '대한아, 여기 수상한 북한인이 있는데 갑부 행세를 하고 있는 걸 보니 거물급 인사로 의심이 된다. 네가 현지로 직접 와서 확인을 해야겠다. 자세한 얘기는 만나서 직접 얘기하겠지만 모나코 정부에서는 사건을 조용히 해결하고 싶어 한다'면서 수상한 인물제보를 했다.

---

6) 韓美, '북 IT외화벌이' 관여 러 업체·북한인 자금관리책 제재(연합뉴스, 2024.3.28.) 제하 기사에서 착안

김진명은 30년 이상 프랑스 남부지역에서 베테랑 태권도 사범(마스터)으로 인정받고 있으며, 인접한 모나코에서도 겸임국 사범으로 활동하면서 태권도 보급에 힘쓰고 있었다. 얼마 전 모나코 대공[7] 부부도 왕자의 태권도 승단 심사를 참관했을 정도로 왕실과의 친분도 각별하다.

그의 수백 명의 제자들 가운데에는 모나코 태권도 국가대표 출신으로 왕실 경호실장인 올랑드 메를로(41세)를 포함하여 많은 유력 인사들로 성장하였다. 지역 사회에서는 김 사범은 '마스터 김'으로 불리고 있었다. 그의 제자 중에 몬테카를로 카지노 보안실장인 프랑소와 페레로(45세)가 있는데 엊그제 김 사범과 함께 식사를 하면서 수상한 인물이 있다며 제보를 해왔다고 했다. 페레로는 카지노에서 본 사람이 김 사범과 같이 한국어를 쓰는 것 같은데 특유의 강한 억양 때문에 김사범의 친근한 한국어 말투와는 확연한 차이를 느꼈고, 평소 카지노를 방문하는 한국인들을 많이 보면서 모니터링을 했기 때문에 한눈에 북한인임을 알아보았다고 했다. 또한 하루에도 수억 원을 쓰면서도 거리낌 없이 배팅하는 큰손 같아, 북한인으로는 꽤 거물급으로 추정될 만큼 수상하다고 했다며 출처를 밝혀 신빙성을 더해주었다. 이 말을 듣고 김 사부는 모나코에서도 민감하게 주시하고 있는 단계에서 바로 조카인 김

---

7) '봉주르 사범님' 제하 tistory 참고(국기원 파견 정우민 태권사범 이야기를 모티브로 창작)

탐정에게 전화를 한 것이었다. 김 탐정은 페레로가 적어준 여권 이름과 출생일자를 확인하고, 경찰청 인터폴의 지명수배된 인물과 대조하며 확인은 했지만 위조 여권에 가명일 가능성이 높아, 다시 김 사범에게 메일로 왕실 경호실장을 통해 주소지와 사업장을 파악해 줄 것을 요청해두었다가, 며칠 후에 모나코 현지로 직접 찾아온 것이다.

김탐정은 모나코에서 김 사범의 협조로 중국인으로 행세하는 의심 인물이 음식점을 방문했을 때 음료수를 마신 유리컵에서 지문을 채취해 서울경찰청에 전송한 결과, 지명수배 사진과 다르게 눈과 코를 성형수술하여 가명으로 활동 중이지만 북한의 김중석과 동일 인물임을 확인할 수 있었고, 며칠간 잠행을 통해 주소지를 확인한 뒤 모나코 F1 경기가 열리는 행사장에서 그의 얼굴을 다시 한번 확인하게 되었다.

김 탐정은 김중석의 신원을 확인한 즉시 현장에서 체포하고 싶었지만, 그가 현행범이라고 해도 현재 제3국에 체류 중이니, 주재국 사법당국의 수사공조가 필요한 상황이어서 명백한 범죄현장이나 의심행동을 당국에 신고하여 체포하게 하여 인도받아야하는 절차상 문제가 남아 있었다.

김 탐정은 서양인들의 틈에서 오히려 동양인 외모라 두드러져

보이기 때문에 한국에서처럼 자유롭게 감시활동을 할 수가 없었다. 가급적 자신을 노출시키지 않고 김 사범을 통해 모나코 현지인을 고용하여 미행을 붙이면서 추적하고 있었다. 메를로 경호실장은 모나코 경찰을 통해 입수한 정보를 토대로 김중석이 요트를 타고 한달에 한번 정도 일주일 간 지중해를 돌아다닌다는 사실을 알려주었다. 김 탐정은 항구에 정박 중인 김중석 소유 요트를 확인하고, 50m 정도 가까운 거리에서 요트를 쉽게 볼 수 있는 2층 숙소에 체류하면서 김중석이 요트에 출입하는 정황을 은밀히 감시했다.

<2031년 7월 2일, 모나코 그리고 公海, 폭염(31℃)>

AM 09:30 김중석 요트에 승무원들이 바삐 움직이면서 출항 준비 정황이 포착된다. 2시간 후 검은색 페라리 승용차가 요트 앞에서 멈추고 하차하는 인물은 아이보리색 반팔 티셔츠에 청색 반바지 차림의 검은색 선글라스를 낀 김중석이었다. 드디어 그는 요트에 승선했다. 요트 위에는 경호원 겸 승무원 4명이 있으며, 30분 뒤 요트가 선착장을 유유히 빠져나가며 출발했다.

김탐정은 메를로 경호실장이 준비해 준 해상 정찰 무인기를 통해 요트의 통신신호를 추적하며 항로를 파악하고 있었다. 공해상에 이르렀을 때, 리비아 선적 화물 선박이 요트에 접근하는 것을 포착했다. 정찰 무인기는 리비아 선박에서 한 남성이 김중석에게 검은색 가방을 전달하는 정황을 고해상도 영상으로 찍었다. 이미 수백 발의 포탄을 실은 러시아 선박을 통해 시리아로 운반 중이고 김중석은 판매대금으로 돈 가방을 전달받은 것이다.

몇 분 뒤 위치를 신고받고 출동한 인터폴 해양경찰이 김중석의 요트를 급습해서 공해상에서 현행범으로 체포했다. 현장에서 발견된 검은색 돈 가방에는 수천만 달러가 들어있었다. 그는 묵비권을 행사하며 변호인을 불렀다. 현행범으로 체포된 김중석은 한국으로 송환이 결정되었다. 김중석은 미국 재무부와 UN 제재 명단에도 있었기 때문에 과거에 자행한 불법 무기 거래와 해외 비자금 은닉에 대한 재판을 받게 될 것이다.

김 탐정은 무기거래 및 자금세탁과 같은 국제범죄 혐의가 있는 거물급 김중석을 모나코에서 체포하는 데 무리가 있을 거라 생각하고, 사전에 모나코 왕실 측에 김중석의 범죄 증거조사에 대한 설명과 협조를 요청했다. 모로코 왕실 측에서는 카지노와 그랑프리 경주 뿐만이 아니라 조세피난처로 안전하다고 알려진 부자들의 성역이 훼손되는 걸 원치 않았기 때문에 모나코 영토 안에서 사법처리 되기를 바라지 않았다. 다만 그의 범죄의 심각성과 불법무기 중개로 인한 국제평화에 대한 위험성을 충분히 인지하고 있었다. 모나코에서 사건은폐와 축소는 가능하겠지만 중요한 국제 범죄자에 대한 방치는 언젠가는 모나코에 오점으로 남을 수 있어 그냥 모른 척하고 넘어갈 수만은 없었다. 그래서 그가 공해상에서 범죄를 실행했을 때 현행범으로 체포할 수 있도록 하는 김 탐정의 제안을 받아들인 것이다. 물론 모나코 당국에서는 재판 결과에 따라 김중석이 불법으로 은닉한 부동산과 재산 처분을 하는 것에도 적극 도움을 줄 것이며, 계속 카지노와 조세피난처의 명성은 유지해나갈 것이다.

이번 사건에 결정적 제보를 한 김 사범에게는 美 재무부에서 공표한 100억원의 현상금이 지급될 것이다. 그의 오랜 꿈이었던 유럽에서 가장 큰 태권도 명예전당을 건립하는 경사가 앞당겨질 것으로 전망했다. 김중석 체포호송을 확인한 김 탐정은 김 사범과 아쉬운 작별 인사를 하고 서울로 가기 위해 모나코에서 출발하는 기차를 타고 프랑스 니스 공항으로 향했다.

제 4장. 통일시대 공무원 재임용 검증 <자격 적격 또는 결격>

<2031년 7월 15일, 개성, 흐림(29℃)>

PM 13:30 윤겨레 탐정은 개성 송악산 남쪽 기슭에 위치한 만월대(옛 고려시대 왕궁터, 북한 국보 제122호) 발굴 현장에 나와

있었다. 남북통일 이전부터 남북 공동으로 문화재 발굴사업을 추진하다 답보상태였는데 통일 이후 발굴사업이 재개되면서 정부의 전폭적인 지원을 받아 활발하게 진행되고 있었다. 그는 태조 왕건 시대에 축조되었던 것으로 추정하는 첨성대(북한 국보 제131호)의 축대 사적터를 보며 당시 화려했을 자태를 상상하면서 우리 조상들의 경이로운 천문관측 기술 수준에 대해 감탄을 하고 있었다.

이때 누군가 '윤 탐정님?'하고 그를 불렀다.

윤 탐정이 뒤를 돌아보니 문화체육관광부 소속 문화재청에 근무하고 있는 이병윤(56세) 박사였다. 그는 여기 만월대 발굴사업단 단장으로 50여 명의 조사단을 이끌고 있었다. 어제 윤 팀장의 연락을 받고 면담하기로 약속한 자리에 나왔고, 이 박사는 윤 탐정을 한눈에 알아본 것이었다.

"이 박사님, 직접 만나 뵙게 되어 반갑습니다. 윤겨례 탐정입니다. 바쁜 시간 중에 면담 시간을 내어주실 수 있다 해서 직접 발굴 현장 근처로 오게 되었습니다." 그는 계속 말을 이어갔다.

"유적 발굴사업단 조사단에서 활동 중인 북한 출신 최문동(49세) 연구원에 대해 몇 가지 질문을 하고자 면담을 요청하였습니다. 물론 제가 질문한 사실과 내용에 대해서는 최문동 연구원에게 함구해 주시기 바랍니다."

한반도 통일 직후 북한의 공무원은 직위는 유지하되 통일독일

사례를 도입하여 1~4년간 한시적으로 직무가 유보[8]되어 재임용을 위한 조사를 거쳐야 하며 적격 판정을 받으면 통일정부에서 공직을 정상 재개할 수 있으며, 부적격 판정을 받게 되면 재임용이 탈락되어 면직 처리가 되었다. 이는 독일통일과 함께 인수된 약 180만 명의 관료 중에서 통일 후 4년 동안 약 120만 명이 퇴직하였고, 나머지 약 60만 명 정도 감축 대상으로 남아 있었던 사례를 참고할 수 있을 것이다. 대한민국 통일 직후 체제 청산 과정에서 공무원 재임용을 위한 필수 절차로 과거에 북한 정부의 공무수행이나 대한민국의 체제전복 또는 간첩·이적행위 가담 및 부정부패 또는 학살·인권 유린 등 중범죄자로서 공무수행에 결격사유가 있는 자를 가려내기 위한 인사 검증제도였다.

윤 탐정은 이 박사와 최문동 연구원이 만수대창작사 소속의 문화재 복원 연구원으로 활동해왔고, 통일전에 추진되었던 남북교류사업이 통일 이후에도 연속성을 인정 받은 경우 북한 공무원에 대한 유보 기간에서 면제되는 예외 규정으로 바로 현업 신분을 유지할 수 있어 그에 대한 신원 재검증을 더욱 철저히 하고 싶었다. 이 박사는 최 연구원이 개성 성균관(북한 국보 제127호) 복원사업에도 주도적으로 관여하고 있다면서, 북한 고고학 분야에서 최고

8) 독일의 경우 1990년 9월 23일부터 통일조약(제5장 20조)에서는 구동독 관료는 통일 이후에도 일단 관료 신분을 유지한다고 밝히면서, 이는 어디까지나 잠정적인 조치일뿐 연방내무부 관련 규정을 통해 직급에 따른 유예기간을 두어 재임용 과정을 거쳤음(양현모 著, 「독일정부론」 356~361쪽)

전문가로 자타가 공인하지만 최 연구원이 해외에 남겨둔 가족들과 장기간 떨어져서 기러기아빠처럼 혼자 생활하고 있는 특수상황도 알려주었다. 최 연구원의 가족들이 20년 전부터 홍콩과 동남아지역에 살았었고 최근에는 3개월에 한번 정도는 가족들이 있는 홍콩에 왕래 중이라는 사실도 언급했다.

이때 윤 탐정은 최 연구원의 잦은 해외 가족 방문 사실에 뭔가 석연치 않은 부분을 직감하고는 추가 질문을 계속했다. 시간이 금세 흘러서 어느덧 윤 팀장은 2시간의 면담을 마무리하였다. 그는 이 박사에게 나중에 생각나는 것이 있으면 연락해 달라며 발굴 현장을 빠져 나왔다.

<2031년 7월 20일, 홍콩, 한밤중 무더위(30℃)>

PM 19:30 김대한 탐정은 홍콩에서 화려한 야경을 뽐내는 스타의 거리를 걷고 있었다. 수 많은 관광객들이 홍콩 스타 동상 앞에서 야경을 배경으로 휴대폰 사진을 찍어대느라 사방에서 플래쉬 불빛이 쉴 새 없이 번쩍거렸다.

김 탐정은 혼잡한 인파를 뚫고 백여 미터 길거리를 지나자, 홍콩 현지 골동품을 팔고 있는 행상 앞에서 발걸음을 멈추었다. 김 탐정은 행상인에게 "여기서 진품은 무엇인가요?" 묻자, 주위 사람이 없는 것을 확인하고는 행상인은 의미심장한 미소를 날리며 "사실 진품은 없답니다. 손님", "진품을 원하시면 다른 가게로 가보셔야 해요."

행상인은 홍콩에서 골동품을 취급하며 한국을 오가면서 중개상을 하고 있는 현진수(61세) 사장으로 김 탐정과는 오랜 기간 협조 관계를 유지하고 있다.

현 사장은 청킹멘션[9]에 조그만한 골동품가게를 운영하고 있지만, 한 달에 한번씩 관광객들이 많은 거리로 직접 나가 골동품을 팔고 있었다. 부업으로는 한국인을 대상으로 부동산 중개도 하고 있는데 30년 이상 홍콩에 살아왔기 때문에 여기저기 듣게 되는 교민소식을 가장 많이 아는 홍콩 현지 소식통이기도 했다. 김 탐정이 신문기자로 재직할 당시에 해외 취재원으로 알게 된 인연으로 지금까지 연락을 계속하면서 중요한 제보나 정보 확인에 적잖게 도움을 받았다.

며칠 전 현 사장에게 연락해서 최문동에 대한 홍콩 내 비밀 정보에 대해 탐문해 줄 것을 요청했었다. 홍콩은 외국인의 정보수집과 같이 의심스러운 활동에 있어 간첩법[10]을 근거로 중국정부의

___

9) 홍콩영화 '중경삼림' 촬영지로 유명
10) 홍콩 입법회(의회)가 국가 분열과 전복·테러활동·외국 세력과 결탁 등 39가지 안보 범죄와 이에 대한 처벌을 담은 국가보안법(기본법 23조)을 만장일치로 통과(2024

감시 체제하에 있었다. 이러한 특수환경으로 인해 김 탐정은 정보 접근을 최대한 조심스럽고 은밀하게 진행하였고, 현 사장도 골동품 상인으로 인사를 하고 가격을 흥정하는 척하며 대화를 자연스럽게 주고받을 수 있었다. 다만 거래를 하더라도 두 사람이 물품을 주고받는 것이 곳곳에 설치된 CCTV에 노출될 수 있기 때문에, 현 사장은 의심을 사지 않도록 관광객이 방문하기 좋은 기념품 가게를 추천해주었다. 사전에 한국에 있을 때부터 서로 약정을 해서 알려주는 장소에 방문하면 인편으로 맡겨둔 기념품을 받아가기로 하였다. 현 사장이 기념품으로 포장한 기화병가[11] 펜더 쿠키 안에는 최문동에 대한 정보가 기록된 초소형 USB가 숨겨져 있었다.

저장된 파일 자료에는 최문동이 겉으로는 만수대창작사 소속 문화재 복원 연구원 신분이지만 실제로는 북한 고급 미술품을 해외에 비싼 값에 팔아 외화벌이를 하며 가상화폐로 전환해서 조선노동당에 자금을 조달한 거래 증거들이 기록되어 있었다. 최문동은 중국에서 먼저 위탁판매 형식으로 북한 미술품을 제3국으로 수출 판매하는 중개인 역할을 15년 이상 수행하면서 수천억 원 상당의 자금을 조달해 온 것으로 추정되었다. 현재 최문동 가족들이 은밀히 체류하고 있는 백억 대의 홍콩 고급주택과 사치품 소비 성

년 3월 19일)시켰고, 3월 23일 0시부터 시행됨
11) [네이버 지식백과] 홍콩 전역에 수십 개의 매장이 있는 기화병가. 1938년 개점한 오랜 역사의 제과점으로 창립자의 아들이 대를 이어 운영하며, 쫀득한 식감의 쿠키들이 특히 맛있다고 평가

향으로 볼 때 수천억 상당의 가상화폐와 현금 보유 및 은닉 혐의가 담겨있었다.

김 탐정은 초소형 USB를 입수하자마자 지체 없이 공항으로 향해서 인천으로 출국하는 비행기에 올랐고, 잠시 후에 비행기가 이륙하면서 홍콩 영공을 빠져나와 서울로 향했다.

<2031년 7월 30일, 서울, 아침 더위(28℃)>

AM 08:50 김대한 탐정은 광화문 사무실로 출근하다 광장 건물 위 대형전광판에서 나오는 뉴스를 보게 되었다. 뉴스 자막에는 '최문동 만수대창작사 연구원, 북한 미술품을 외화벌이 수단으로 과거 북한 조선노동당에 수천억원 대 비자금 조성 혐의로 체포 및 개성 자택 압수수색'이라고 쓰여있었다.

10일 전 김 탐정은 서울에 도착한 즉시 최문동에 대한 정보가 들어있는 초소형 USB 내용을 확인하여 정리해서, 국가수사국 공직 신원검증과 담당인 김수민(36세) 경위에게 증거를 제출했었다.

김 탐정은 김수민 경위로부터 '김 탐정님이 한번 씩 해외에 다녀오면 꼭 큰 사건들이 걸려든다' 면서 '이번에 제출된 증거를 토대로 최문동이 과거 해외 비자금 조성 및 사적 유용에 대한 보강 수사를 해서 최문동을 현행범 체포 영장청구 및 가택·연구실 압수수색 신청에 들어가겠다'는 설명을 들었다.

최문동의 경우에는 북한 출신 공직자로 유예기간 없이 곧바로 현업을 수행하고 있었으나 체포가 개시되는 시점부터 재판 확정까지 공직 수행은 보류가 되며, 향후 재판 결과에 따라 유죄판결로 확정되면 면직 처리가 될 것이다. 물론 최문동이 제3국에 은닉한 가상화폐와 현금과 같이 사적 유용한 재산에 대해서 환수하는 방법도 강구해야 할 것이다.

사무실로 올라가는 계단을 따라 울리는 김 탐정의 발걸음 소리가 경쾌하게 들렸다.

제 5장. 조상 땅, 내 재산 찾기 <원상회복 또는 배상청구>

<2031년 8월 9일, 황해도 해주, 장마비(26℃)>

김 탐정과 윤 탐정은 통일 직후부터 남쪽과 북쪽 실향민들이 분단과 전쟁기간 중에 피난으로 소유했다가 잃어버린 남북한 땅을 되찾아달라는 의뢰를 하루에 몇 건씩 요청을 받고 있었다.

오늘 윤 탐정이 찾아가는 해주 지역도 그러한 의뢰 중 하나였다. 의뢰인은 올해 98세 고령인 임미자 할머니였다. 임 할머니는 현재 거동이 불편하여 거주지인 김포지역 인근의 요양병원에서 살고 있었다. 임 할머니는 원래 고향이었던 해주 연백평야 지역의 마을에 살고 있었다. 연백평야는 황해도 해주만과 예성강 하류에 위치해 있어 물이 풍부한 데다 간석지가 있어 비옥한 토양이 특징이었다. 또한 이 지역은 북한에서 가장 따뜻한 기후로 연평균 10℃를 유지하고 있어 농사 작황에 좋은 환경을 갖추고 있었다. 어제 김 탐정은 김포 요양병원으로 찾아가 임미자 할머니를 직접 만났다. 김 탐정은 자신을 소개하며 임 할머니에게 고향 땅에 대한 자세한 이야기를 들었다.

임미자 할머니는 "내가 살던 연백평야 고향 마을에서 아버지는 조상 대대로 수만 평의 논에 농사를 짓고 있었다네. 옛날에는 연백평야에서 나온 쌀로 평양 사람들을 전부 먹여 살렸다고 하잖아."

임 할머니는 농사꾼인 아버지의 땅이 북한 당국으로부터 지주 소유 토지로 찍혀 전부 몰수를 당해 박해를 받게 되자 부모님과 함께 야반도주하다시피 고향을 떠나 남한에 정착하게 되었는데, 그래서인지 북한 땅과 가장 가까운 김포지역에서 농사를 짓고 살게 되었다고 한다. 얼마 후 6.25 발발로 전쟁이 터지고 결국 고향 땅을 밟을 수가 없게 되었고, 수십 년 전에는 부모님도 돌아가시고 80년 이상 돌아갈 수 없게 된 망향의 한을 갖고 있다고 했다. 그 당시 부모님은 힘들게 농사를 지었지만 하나뿐인 딸을 서울에 사립 여자 고등학교로 유학을 보내 배움의 길을 열어주었다. 비록 6.25 전쟁으로 학업을 계속할 수는 없었지만 배움에 대한 열정은 임 할머니에게는 삶에 대한 개척정신과 자립심을 형성하게 해준 원동력이 되었고, 전쟁 직후 김포로 돌아온 후에는 부모님의 중매로 결혼을 하면서 3남 2녀 자녀를 정성껏 뒷바라지하며, 김포 일대에서는 꽤 유명한 농장을 키워왔다고 이야기했다.

임 할머니는 김 탐정에게 '해주 고향에서 남쪽으로 피난 내려올 때 아버지께서 들고 온 집문서와 땅 문서가 있는데, 지금은 장남에게 맡겨두었으니 그 문서를 받아서 관청에 증거로 제출해달라'고 신신당부를 하였는데, 고향 땅을 다시 밟아보고 싶다면서 눈물을 글썽였다.

김 탐정은 임 할머니의 의뢰내용을 북한 지역에 있는 윤 탐정과 공유했고, 윤 탐정은 문서에 기재된 주소와 지번을 해주 군청 지적과 담당 공무원에게 문의를 했다. 해주 군청 공무원이 답변을 보내왔다. "문서에 있는 주소지는 이미 개발되어 복합 건물이 들어서 있고, 농사 지역 지번은 북한당국에서 몰수 후에 협동농장으로 분할하여 관리하였기 때문에 현재 특정인 사유지는 아니지만, 국가소유나 협동농장인 경우 현실적으로 경작권이 있는 선량한 북한 주민과의 이해관계가 맞물려 있어 원주인에게 그대로 돌려주는 원상회복은 어려울 것 같습니다." 그러면서 부언했다. "다만, 원 소유자의 권리가 인정되기 때문에 국가 차원에서 땅투기 방지를 위해 제 3자 매각(북한인 우선 보호 대상) 이후 금전적인 보상(예, 현재 공시지가-과거 당시 공시지가 차액) 형태의 구제방법이 있으리라 기대됩니다."

윤 탐정은 임 할머니와 같은 사례는 쉽게 해결되어 천만다행이라고 생각했다. 토지대장이나 지적공부와 같은 존안 문서가 있어 증거로써 정부에 제출하여 손해배상을 받을 수 있는 권리구제의 길이 있기 때문이다. 이러한 증명서류나 증거가 없다면 수십년 전의 원 소유관계를 어떻게 밝힐 수 있을지 정말 막막했을 것이다. 특히 북한 당국에서 일제 강점기에서 남북분단 과도기 시기에 존안되어 있는 토지 공부가 대부분 멸실되었기 때문에, 원 소유자가 직접 소유하고 있는 공부가 권리 다툼을 해결하는 결정적인 증거가 될 것은 자명했다.

하지만 김 탐정과 윤 탐정은 다른 의뢰인의 요청을 계속 받고 있는 상황에서 결정적인 증거가 부족하거나 없더라도 포기하지 않을 것이다. 사건의 실마리를 풀 수 있는 단서라도 있다면 의뢰인들에게 권리회복의 길을 열어주기 위해 모든 수단과 방법을 강구할 것이다.

윤 탐정은 해주 군청에 정식으로 <의뢰인의 소유권 회복 신청 및 금전보상 신청서>를 제출하고, 서울에 있는 김 탐정에게 해주에서 의뢰 사건은 잘 진행하고 있다고 연락을 했다. 잠시 후 하늘에서 비가 그쳤다. 윤 탐정은 드넓은 초록이 물결치는 연백평야와 함께 그 위로 짙게 드리워진 연무를 바라보면서, 승용차에 올라탔다. 한참을 달려도 끝없이 펼쳐진 평야를 가로지르며 평양 사무실로 향했다.

에필로그

<2031년 8월 15일, 제네바 UN 인권이사회 그리고 판문점, 맑음(32℃)>

AM 10:55 제네바 UN 인권이사회에 김대한 탐정과 윤겨레 탐정이 나란히 참석했다. 그들은 북한에서 납북 이산가족 실종자 수색과 납치·고문 사례에 대한 인권범죄 조사내용을 인권보고서 채택에 앞서 증거자료를 제시하면서 설명하고 있다. 지난 1년간 의뢰받은 몇 건의 조사는 이제 시작에 불과했다. 앞으로 몇 년간은 더 많은 사건들이 그들을 기다리고 있을 것이다. 인권이사회 보고서 채택을 확인하고 김 탐정은 윤 탐정과 함께 회의장을 빠져나왔다. 오후에 기자단과 인터뷰를 하고 내일은 독일로 이동할 예정이다. 베를린에서 「독일탐정협회」 초청으로 <통일한국에서의 탐정조사 성공사례>를 주제로 세미나 일정이 정해져 있었다.

주최측이 제공하는 검정색 익스플로러 밴에 오르면서 윤 탐정이 김 탐정에게 운을 뗀다.

"지금 대한민국은 한창 축제일 텐데. 형님, 지우양 연주 잘하고

있겠죠?" 김 탐정은 말없이 고개를 끄덕이며 환하게 미소를 짓는
다. 차량에 장착된 모니터를 켜자 판문점 통일 축제 영상이 전 세
계에 생중계되고 있다.

PM 17:55 판문점 평화광장. 통일정부가 수립되어 대통령이 취
임한 지도 벌써 1년이 흘러갔다. 분단의 상징이었던 DMZ은 한반
도의 녹색 허리띠를 상징하는 세계평화생태공원으로 조성되었고,
전 세계 관광객들의 한국 방문에 필수코스로 자리잡혔다. 그 중심
인 판문점 평화광장 잔디밭에는 약 3천 명의 시민들이 앉아서 통
일 1주년 축하 야외 공연을 관람하고 있다. 오프닝 무대로 최근 국
제콩쿠르를 석권하며 클래식계 신성으로 떠오르고 있는 바이올리
니스트 김지우(19세)양과 평양 출신 천재 피아니스트 배민수(17
세)군이 함께 <베토벤의 바이올린과 피아노를 위한 소나타 제7번
C단조 Op 30-2[12]> 연주했다. 곧이어 팔순에도 왕성하게 활동 중
인 세계적인 마에스트로 정명훈의 지휘로 남북청소년합창단의 하
모니가 이어졌다. 아리랑 연주가 나오자 모든 청중들도 따라불렀
다. 어느덧 평화공원 밤하늘 위에 별들도 하나둘 빛나기 시작하며
평화의 메아리가 되어 백두에서 한라까지 전국 방방곡곡에서 울

---

12) (위키백과 참고) 베토벤은 그의 청력 문제를 개선하기 위해 1802년 4월부터 10월
까지 빈의 바로 외곽에 있는 오스트리아의 작은 마을 하일리겐슈타트에 머무르며, 3월
과 5월 사이에 작품 번호 30 세트의 대부분의 작업을 완료했음. 이는 베토벤이 자신의
청력을 잃고 있다는 사실을 인정해야 했던, 베토벤의 삶에서 충격적인 순간에 만든 작
품임을 뜻함

려 퍼졌다.

이산가족 세대가 가능한 빠른 시기에 통일된 나라에서 헤어진 가족들을 만나볼 수 있기를 희망하며, 한반도 통일이 남북한 신구세대 모두에게 환영받는 화합의 무대가 되기를 진심으로 바란다. 끝으로 사랑하는 아내의 아버지(빙부) 그리고 외할머니(빙외조모)님에게 이 글로 마음의 상처가 치유되고 꿈이 현실이 되기를 마음속 깊은 진심을 전한다. 이번 글쓰기 작업에 멜로디를 불어넣는 뮤즈가 되어 준 딸에게 고맙다는 말로 '무수한 시간 속의 한 점'인 미래일기를 마친다.

무수한 시간 속 어느 점에서

펴낸날 | 2024년 6월 1일

지은이 | 김한솔 김혜정 김희진 오지유 이시현 최인혜 Tom鄭

펴낸이 | 임우근

펴낸곳 | 글로서기

출판등록 | 2023년 5월 17일(제2023-000166호)

주소 | 서울시 강남구 논현로 97길 19-1, 1층 (역삼동)

홈페이지 | geulroseogi.co.kr

ISBN 979-11-983479-9-2